사고력을

팩토

연산

B05
큰 수의 덧셈과 뺄셈

매스티안

구성과 특징

1주 연산 원리 학습

붙임 딱지 등의 활동으로
연산 원리를 재미있게 체득

2주 연산 응용 학습

연산 원리를 응용한 문제를
풀어 보며 문제해결력 신장

+

정답

아이와 자연스럽게 학습을 시작할 수
있도록 스토리텔링 방식 도입

아이들이 배우는 연산 원리에 대한
학습가이드 제시

연산 실력 체크 진단 + 보충 온라인 보충 학습   온라인 활동지

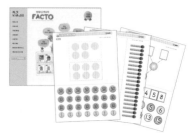

2~4주차 사고력 연산을
학습하기 전에 연산 실력 체크

매스티안 홈페이지에서 제공하는
보충 학습으로 연산 원리 다지기

매스티안 홈페이지에서 제공하는
활동지로 사고력 연산 이해도 향상

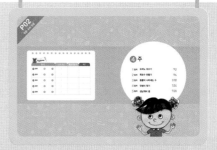

4주 사고력 학습 2

연산 원리를 바탕으로 한 사고력 연산
문제를 풀어 보며 수학적 사고력과 창의력 향상

3주 사고력 학습 1

연산 원리를 바탕으로 한 사고력 연산
문제를 풀어 보며 수학적 사고력과 창의력 향상

· 3, 4주차 1일 학습 흐름 ·

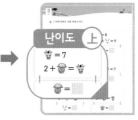

특정 주제를 쉬운 문제부터 목표 문제까지 차근차근
학습할 수 있도록 설계 되어 있어 자기주도학습 가능

App Game 팩토 연산 SPEED UP

앱스토어에서 무료로 다운받은
팩토 연산 SPEED UP으로 덧셈, 뺄셈,
곱셈, 나눗셈의 연산 속도와 정확성 향상

부록 칭찬 붙임 딱지, 상장

학습 동기 부여를 위한
칭찬 붙임 딱지와 연산왕 상장

사고력을 키우는 **팩토 연산 시리즈**

 | 권장 학년 : 7세, 초1 |

권별	학습 주제	교과 연계
P01	10까지의 수	❶학년 1학기
P02	작은 수의 덧셈	❶학년 1학기
P03	작은 수의 뺄셈	❶학년 1학기
P04	작은 수의 덧셈과 뺄셈	❶학년 1학기
P05	50까지의 수	❶학년 1학기

 | 권장 학년 : 초1, 초2 |

권별	학습 주제	교과 연계
A01	100까지의 수	❶학년 2학기
A02	덧셈구구	❶학년 2학기
A03	뺄셈구구	❶학년 2학기
A04	(두 자리 수)+(한 자리 수)	❷학년 1학기
A05	(두 자리 수)−(한 자리 수)	❷학년 1학기

 | 권장 학년 : 초2, 초3 |

권별	학습 주제	교과 연계
B01	세 자리 수	❷학년 1학기
B02	(두 자리 수)+(두 자리 수)	❷학년 1학기
B03	(두 자리 수)−(두 자리 수)	❷학년 1학기
B04	곱셈구구	❷학년 2학기
B05	큰 수의 덧셈과 뺄셈	❸학년 1학기

 | 권장 학년 : 초3, 초4 |

권별	학습 주제	교과 연계
C01	나눗셈구구	❸학년 1학기
C02	두 자리 수의 곱셈	❸학년 2학기
C03	혼합 계산	❹학년 1학기
C04	큰 수의 곱셈과 나눗셈	❹학년 1학기
C05	분수·소수의 덧셈과 뺄셈	❹학년 1학기

B05 큰 수의 덧셈과 뺄셈 목차

B05권에서는 세 자리 수의 덧셈과 뺄셈을 학습합니다.

큰 수의 덧셈과 뺄셈은 머릿셈으로 계산하기에는 복잡하므로, 세로셈 형식으로 계산하는 것이 더 효율적입니다. 세로셈 형식의 계산 방법은 모두 같으므로 B05권에서 학습하지 않은 네 자리 수의 덧셈과 뺄셈도 B05권에서 학습한 세로셈 형식의 계산 방법을 확장하여 계산을 하면 됩니다.

1일차 받아올림, 받아내림이 없는 계산	
$$\begin{array}{r} 213 \\ +\ 134 \\ \hline 347 \end{array}$$	받아올림이 없는 덧셈과 받아내림이 없는 뺄셈을 학습합니다.

2일차 받아올림이 1번 있는 덧셈	
$$\begin{array}{r} 1\ \ \ \ \\ 149 \\ +\ 128 \\ \hline 277 \end{array}$$	받아올림이 1번 있는 큰 수의 덧셈을 학습합니다.

학습관리표

일 자			소요 시간	틀린 문항 수	확인
❶ 일차	월	일	:		
❷ 일차	월	일	:		
❸ 일차	월	일	:		
❹ 일차	월	일	:		
❺ 일차	월	일	:		

3일차	받아올림이 2번 있는 덧셈

$$\begin{array}{r} \overset{1\;1}{1\,8\,3} \\ +\,1\,3\,9 \\ \hline \boxed{3\,2\,2} \end{array}$$

받아올림이 2번 있는 큰 수의 덧셈을 학습합니다.

4일차	받아내림이 1번 있는 뺄셈

$$\begin{array}{r} \overset{3\;10}{2\,\cancel{4}\,2} \\ -\,1\,2\,8 \\ \hline \boxed{1\,1\,4} \end{array}$$

받아내림이 1번 있는 큰 수의 뺄셈을 학습합니다.

5일차	받아내림이 2번 있는 뺄셈

$$\begin{array}{r} \overset{4\;10}{}\overset{0\;10}{} \\ \cancel{5}\,\cancel{4}\,2 \\ -\,2\,7\,5 \\ \hline \boxed{2\,3\,7} \end{array}$$

받아내림이 2번 있는 큰 수의 뺄셈을 학습합니다.

연산 실력 체크

1주차 학습에 이어 2, 3, 4주차 학습을 원활히 하기 위하여 연산 실력 체크를 합니다.
연습이 더 필요할 경우에는 매스티안 홈페이지의 보충 학습을 풀어 봅니다.

1 주

🌷 동전을 붙이며 덧셈을 하시오.

준비물 ▶ 붙임 딱지

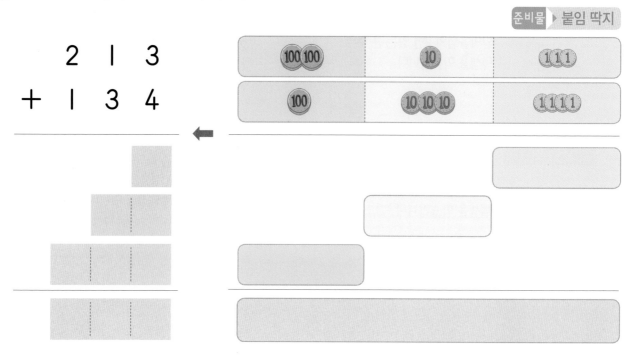

```
    2  1  3
 +  1  3  4
```

```
    4  3  1
 +  2  5  3
```

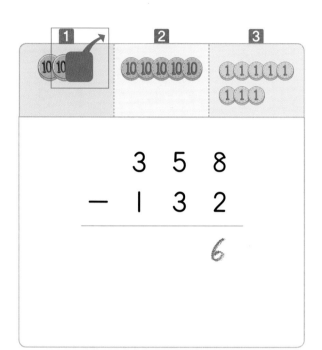

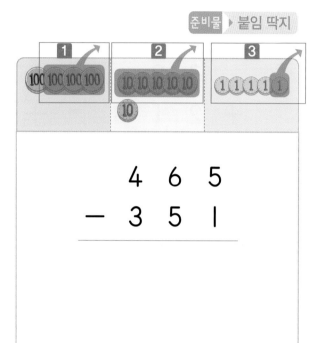

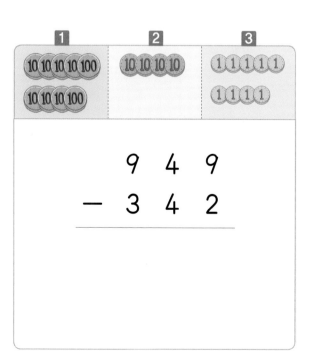

👧 붙임 딱지를 붙이며 뺄셈을 하시오.

$$
\begin{array}{r}
3\ 5\ 8 \\
-\ 1\ 3\ 2 \\
\hline
6
\end{array}
$$

$$
\begin{array}{r}
4\ 6\ 5 \\
-\ 3\ 5\ 1 \\
\hline
\end{array}
$$

$$
\begin{array}{r}
5\ 7\ 6 \\
-\ 2\ 3\ 5 \\
\hline
\end{array}
$$

$$
\begin{array}{r}
9\ 4\ 9 \\
-\ 3\ 4\ 2 \\
\hline
\end{array}
$$

1 일차

⚲ 일의 자리, 십의 자리, 백의 자리를 맞추어 덧셈을 하시오.

```
   3 2 4          3 2 4          3 2 4
 + 2 1 3    ➡   + 2 1 3    ➡   + 2 1 3
 ─────────      ─────────      ─────────
         7          3 7        5 3 7
```

```
   1 1 5          2 4 1          3 6 7
 + 3 1 2        + 2 3 5        + 2 1 2
 ─────────      ─────────      ─────────
```

```
   4 6 8          1 5 6          4 2 3
 + 5 0 1        + 7 3 0        + 3 3 5
 ─────────      ─────────      ─────────
```

```
    2  1  7
+   4  2  1
```

```
    1  1  5
+   2  6  2
```

```
    4  0  3
+   3  4  2
```

```
    1  6  2
+   3  3  1
```

```
    3  4  5
+   2  2  4
```

```
    6  7  2
+   1  0  3
```

```
    4  1  3
+   2  4  6
```

```
    1  6  2
+   8  3  7
```

```
    2  1  6
+   6  2  1
```

일의 자리, 십의 자리, 백의 자리를 맞추어 뺄셈을 하시오.

```
    4 2 8          4 2 8          4 2 8
  - 2 1 5    ➡   - 2 1 5    ➡   - 2 1 5
  _____        _____        _____
        3            1 3          2 1 3
```

```
    2 7 8          4 6 9          3 4 6
  - 1 3 1        - 2 2 5        - 1 2 4
  _____        _____        _____
```

```
    5 7 7          6 4 2          7 9 8
  - 2 0 2        - 1 3 2        - 3 6 7
  _____        _____        _____
```

```
    2 6 7
  - 1 3 2
  ─────────

```

```
    5 8 6
  - 3 4 3
  ─────────

```

```
    3 5 4
  - 2 0 3
  ─────────

```

```
    4 5 9
  - 1 2 5
  ─────────

```

```
    6 7 6
  - 2 2 4
  ─────────

```

```
    5 7 9
  - 3 5 2
  ─────────

```

```
    7 8 5
  - 2 4 0
  ─────────

```

```
    9 4 4
  - 3 4 1
  ─────────

```

```
    8 9 7
  - 4 3 2
  ─────────

```

오늘은 얼마나 잘했을까요?
칭찬 붙임 딱지를
붙여 주세요!

🌷 동전을 붙이며 덧셈을 하시오.

준비물 ▶ 붙임 딱지

```
    1  4  5
 +  3  1  6
```

100	10 10 10 10	1 1 1 1
100 100 100	10	1 1 1 1 1

1 1 1 1
1 1 1 1 1

10 10 10 10

100 100 100 100

100 100 100 100   10 10 10 10   10   1 1

```
    3  6  1
 +  2  7  3
```

100 100 100	10 10 10 10 10	1
100 100	10 10 10 10 10 10	1 1 1

1 1 1 1

10 10 10 10 10
10 10 10 10 10 10

100 100 100 100 100

100 100 100 100 100   100   10 10 10   1 1 1 1

😊 ▨ 안에 알맞은 수를 써넣어 덧셈을 하시오.

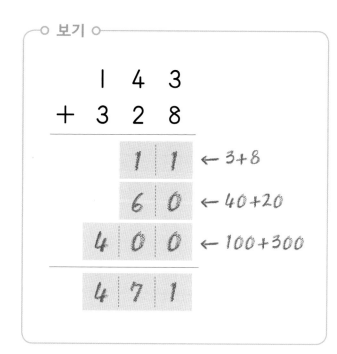

○ 보기 ○

```
    1  4  3
 +  3  2  8
─────────────
       1  1   ← 3+8
       6  0   ← 40+20
    4  0  0   ← 100+300
─────────────
    4  7  1
```

```
    2  3  7
 +  1  2  5
─────────────
              ← 7+5
              ← 30+20
              ← 200+100
─────────────
```

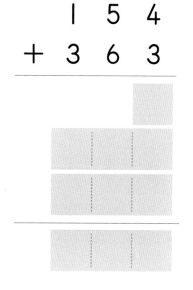

```
    4  2  9
 +  3  5  6
─────────────



─────────────
```

```
    1  5  4
 +  3  6  3
─────────────



─────────────
```

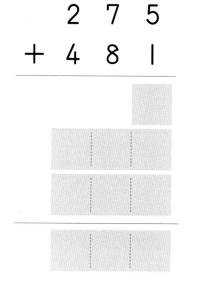

```
    2  7  5
 +  4  8  1
─────────────



─────────────
```

○ 일의 자리, 십의 자리, 백의 자리를 맞추어 덧셈을 하시오.

```
      [1]                    [1]                    [1]
    1 4 3                  1 4 3                  1 4 3
  + 2 1 9        →       + 2 1 9        →       + 2 1 9
  ─────────              ─────────              ─────────
          2                  6 2                3 6 2
```

```
      [ ]
    1 4 9
  + 1 2 8
  ─────────
```

```
      [ ]
    2 5 7
  + 3 1 7
  ─────────
```

```
      [ ]
    1 6 6
  + 2 2 9
  ─────────
```

```
      [ ]
    4 0 7
  + 1 3 5
  ─────────
```

```
      [ ]
    3 3 8
  + 5 1 6
  ─────────
```

```
      [ ]
    5 2 2
  + 4 5 8
  ─────────
```

1
B05

```
    2  1  5              3  0  9              1  5  6
+   1  3  9          +   2  7  2          +   3  1  8
_____          _____          _____


    4  3  6              5  2  8              2  4  7
+   3  2  6          +   1  3  9          +   2  3  5
_____          _____          _____


    1  1  9              4  5  3              7  1  4
+   7  4  6          +   3  2  7          +   2  6  9
_____          _____          _____
```

🌀 일의 자리, 십의 자리, 백의 자리를 맞추어 덧셈을 하시오.

```
        2 9 5           | 2 9 5           | 2 9 5
      + 3 4 2     ➡     + 3 4 2     ➡     + 3 4 2
      ─────────         ─────────         ─────────
            7               3 7           6 3 7
```

```
        1 5 4             3 4 5             2 6 3
      + 2 7 3           + 1 6 4           + 4 8 2
      ─────────         ─────────         ─────────
```

```
        2 8 7             1 6 6             4 9 1
      + 3 8 2           + 4 9 2           + 3 8 4
      ─────────         ─────────         ─────────
```

```
    1  6  4          1  8  2          2  5  1
 +  1  5  3       +  4  6  7       +  2  8  1
 _____      _____      _____
```

```
    3  7  6          2  3  3          2  9  4
 +  2  9  3       +  2  8  3       +  5  4  3
 _____      _____      _____
```

```
    3  4  1          6  9  2          4  6  3
 +  3  8  4       +  2  9  5       +  3  5  1
 _____      _____      _____
```

1
B05

받아올림이 2번 있는 덧셈

🌷 동전을 붙이며 덧셈을 하시오.

```
    2  5  6
+   1  7  6
─────────────
```

```
    3  6  8
+   2  8  5
─────────────
```

👤 █ 안에 알맞은 수를 써넣어 덧셈을 하시오.

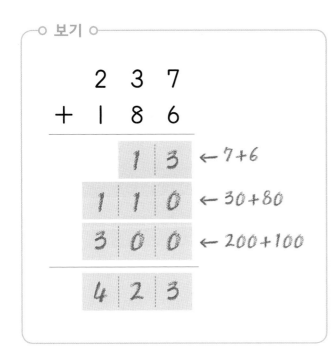

보기

$$
\begin{array}{r}
2\ 3\ 7 \\
+\ 1\ 8\ 6 \\
\end{array}
$$

	1	3	← 7+6
1	1	0	← 30+80
3	0	0	← 200+100

4 2 3

$$
\begin{array}{r}
1\ 5\ 8 \\
+\ 1\ 9\ 4 \\
\end{array}
$$

← 8+4
← 50+90
← 100+100

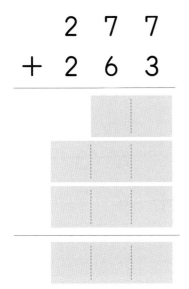

$$
\begin{array}{r}
2\ 7\ 7 \\
+\ 2\ 6\ 3 \\
\end{array}
$$

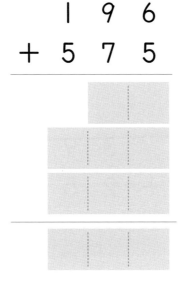

$$
\begin{array}{r}
1\ 9\ 6 \\
+\ 5\ 7\ 5 \\
\end{array}
$$

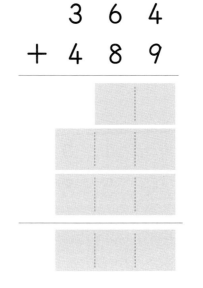

$$
\begin{array}{r}
3\ 6\ 4 \\
+\ 4\ 8\ 9 \\
\end{array}
$$

🧑 일의 자리, 십의 자리, 백의 자리를 맞추어 덧셈을 하시오.

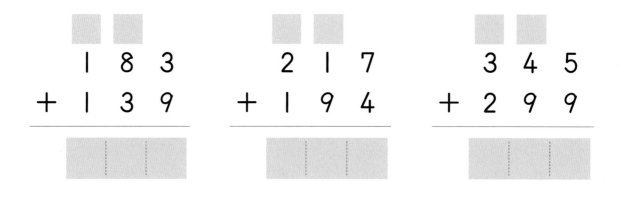

```
      □ |                    | |                    | |
    1 2 7                  1 2 7                  1 2 7
  + 3 9 4        ➡       + 3 9 4        ➡       + 3 9 4
  ─────────              ─────────              ─────────
        1                    2 1                5 2 1
```

```
   □ □
   1 8 3
 + 1 3 9
 ─────────


   □ □
   2 1 7
 + 1 9 4
 ─────────


   □ □
   3 4 5
 + 2 9 9
 ─────────
```

```
   □ □
   1 5 6
 + 5 8 5
 ─────────


   □ □
   3 9 8
 + 2 5 7
 ─────────


   □ □
   4 3 6
 + 4 7 4
 ─────────
```

```
      □ □                    □ □                    □ □
    2 6 3                  1 8 7                  4 5 9
  + 2 5 8                + 2 7 4                + 1 9 5
  ─────────              ─────────              ─────────


      □ □                    □ □                    □ □
    3 7 6                  2 6 5                  3 8 4
  + 2 4 6                + 4 7 8                + 5 2 9
  ─────────              ─────────              ─────────


      □ □                    □ □                    □ □
    1 9 8                  3 7 7                  6 9 6
  + 3 6 7                + 4 5 9                + 2 9 8
  ─────────              ─────────              ─────────
```

⚙ 덧셈을 하시오.

```
    1 9 8          2 8 6          2 7 9
  + 1 1 4        + 3 4 5        + 1 6 3
  ─────────      ─────────      ─────────
```

```
    2 6 4          3 7 6          4 9 5
  + 4 6 9        + 1 3 8        + 3 5 7
  ─────────      ─────────      ─────────
```

```
    2 5 9          6 7 8          3 5 8
  + 3 8 2        + 1 9 4        + 3 8 9
  ─────────      ─────────      ─────────
```

```
   3 7 5          4 5 2          2 5 6
 + 1 6 8        + 4 7 9        + 3 8 4
```

```
   2 5 3          3 3 9          4 7 8
 + 4 9 9        + 2 8 3        + 3 5 7
```

```
   3 4 1          7 8 7          3 9 9
 + 4 8 9        + 1 7 7        + 5 9 2
```

1

B05

받아내림이 1번 있는 뺄셈

❧ 붙임 딱지를 붙이며 뺄셈을 하시오.

준비물 ▶ 붙임 딱지

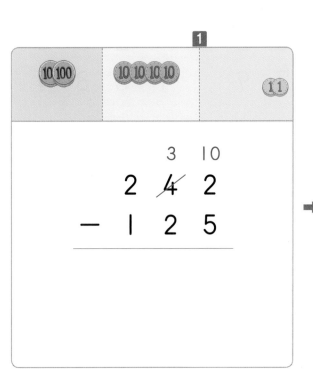

➡

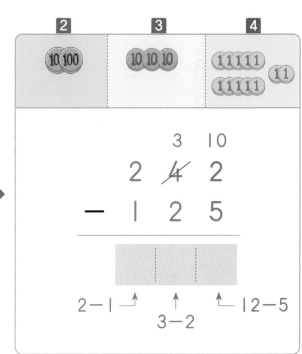

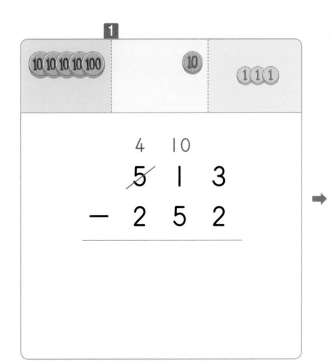

➡

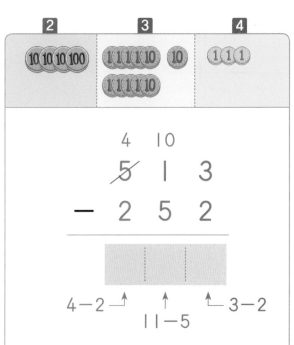

안에 알맞은 수를 써넣어 뺄셈을 하시오.

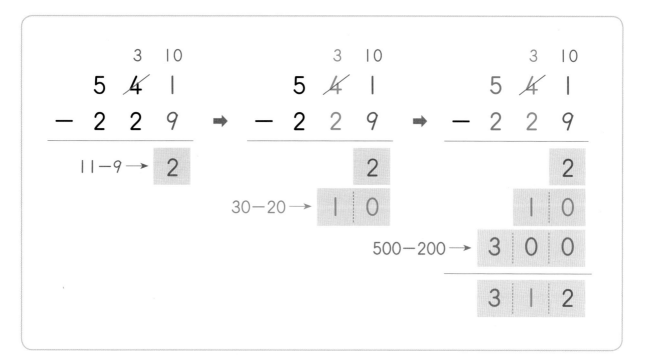

```
   3  10                    3  10                    3  10
5  4  1                  5  4  1                  5  4  1
-2  2  9        ➡        -2  2  9        ➡        -2  2  9
11-9 →   2                          2                          2
                 30-20 →  1  0                    1  0
                                         500-200 → 3  0  0
                                                   3  1  2
```

```
   4  5  2              6  4  6              7  8  4
-  1  2  8          -   4  7  5          -   2  3  9
```

4 일차

일의 자리, 십의 자리, 백의 자리를 맞추어 뺄셈을 하시오.

```
   4 10              4 10              4 10
 4 5̸ 3            4 5̸ 3            4 5̸ 3
- 3 1 9    →    - 3 1 9    →    - 3 1 9
_____          _____          _____
       4              3 4          1 3 4
```

```
 4 4 2           3 7 6           4 3 2
- 2 1 9         - 1 2 7         - 1 1 8
_____         _____         _____
```

```
 5 7 4           7 8 1           9 8 3
- 4 3 6         - 3 6 5         - 2 4 8
_____         _____         _____
```

1
B05

```
   3 2 3
 - 1 0 9
 ─────────
```

```
   2 5 2
 - 1 2 7
 ─────────
```

```
   5 2 5
 - 3 1 6
 ─────────
```

```
   4 7 5
 - 1 3 8
 ─────────
```

```
   6 7 1
 - 2 5 5
 ─────────
```

```
   7 6 2
 - 5 2 9
 ─────────
```

```
   7 8 4
 - 2 3 8
 ─────────
```

```
   8 4 3
 - 4 3 5
 ─────────
```

```
   9 8 4
 - 3 2 7
 ─────────
```

4
일차

일의 자리, 십의 자리, 백의 자리를 맞추어 뺄셈을 하시오.

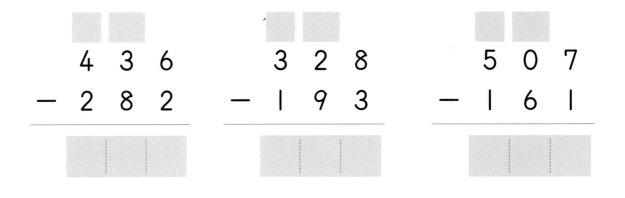

```
      4 3 6
    - 2 8 2
    ─────────
```

```
      3 2 8
    - 1 9 3
    ─────────
```

```
      5 0 7
    - 1 6 1
    ─────────
```

```
      4 4 9
    - 2 7 7
    ─────────
```

```
      6 1 5
    - 3 4 2
    ─────────
```

```
      7 5 8
    - 2 9 4
    ─────────
```

```
    4 7 3
  - 1 8 2
  ─────────
```

```
    4 0 8
  - 2 6 3
  ─────────
```

```
    4 6 3
  - 1 9 1
  ─────────
```

1

B05

```
    6 2 9
  - 2 3 0
  ─────────
```

```
    5 3 7
  - 3 8 4
  ─────────
```

```
    6 5 9
  - 1 9 4
  ─────────
```

```
    7 4 7
  - 5 6 3
  ─────────
```

```
    9 1 6
  - 4 7 6
  ─────────
```

```
    8 3 8
  - 2 4 7
  ─────────
```

5 일차

받아내림이 2번 있는 뺄셈

❁ 붙임 딱지를 붙이며 뺄셈을 하시오.

준비물 ▶ 붙임 딱지

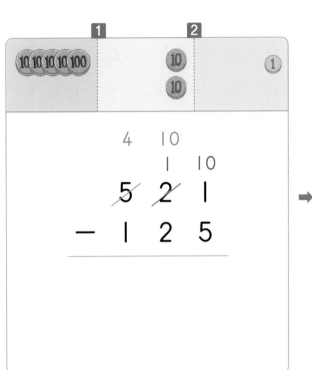

➡

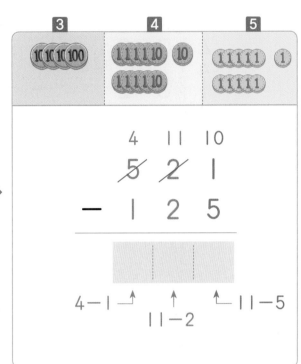

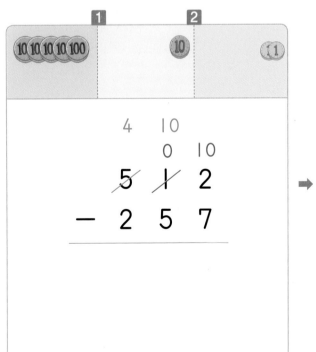

➡

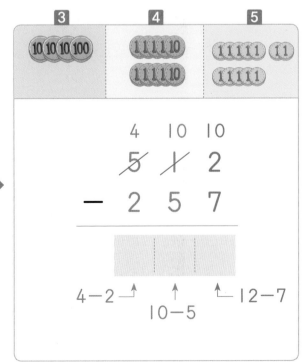

❀ 안에 알맞은 수를 써넣어 뺄셈을 하시오.

```
      2  10                 3  12  10               3  12  10
   4  3̸  5             4̸  3̸  5             4̸  3̸  5
 -  1  8  9     ➡     -  1  8  9     ➡     -  1  8  9
15-9 →  6                      6                      6
                120-80 →  4  0              4  0
                                     300-100 →  2  0  0
                                                 2  4  6
```

```
   4  4  1             5  2  3             6  4  4
 -  2  7  3          -  1  4  9          -  3  9  8
```

5
일차

오 일의 자리, 십의 자리, 백의 자리를 맞추어 뺄셈을 하시오.

```
      4  10              2  14  10            2  14  10
  3   5   2           3   5   2            3   5   2
-  1   8   9    ➡   -  1   8   9    ➡   -  1   8   9
              3                  6   3            1   6   3
```

```
  2  13  10
  3   4   1             4   1   3            5   2   2
- 1   9   8           - 2   5   9          - 1   7   5
```

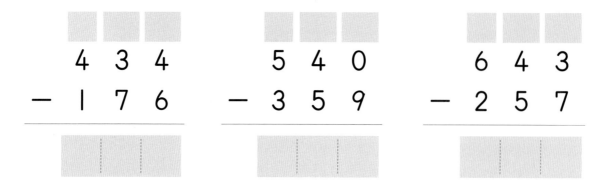

```
    □ □ □
    4 4 3
 -  2 7 4
 ─────────
```

```
    □ □ □
    5 1 6
 -  1 4 8
 ─────────
```

```
    □ □ □
    3 3 4
 -  1 7 9
 ─────────
```

```
    □ □ □
    5 3 1
 -  2 8 9
 ─────────
```

```
    □ □ □
    6 2 3
 -  3 7 6
 ─────────
```

```
    □ □ □
    7 4 3
 -  2 8 7
 ─────────
```

```
    □ □ □
    7 5 7
 -  3 6 9
 ─────────
```

```
    □ □ □
    8 4 1
 -  3 7 8
 ─────────
```

```
    □ □ □
    9 3 4
 -  3 5 5
 ─────────
```

💡 뺄셈을 하시오.

```
    3 2 2          4 4 0          5 3 5
  -　1 7 9        -　1 8 1        -　2 8 7
  ─────────      ─────────      ─────────
```

```
    4 4 2          6 2 1          5 6 1
  -　1 7 6        -　3 3 3        -　3 9 4
  ─────────      ─────────      ─────────
```

```
    5 8 0          7 1 4          4 3 3
  -　1 9 5        -　2 2 7        -　2 4 9
  ─────────      ─────────      ─────────
```

```
   5 4 6
 - 1 6 8
 ─────────
```

```
   4 3 1
 - 1 7 6
 ─────────
```

```
   5 3 1
 - 3 4 6
 ─────────
```

1
B05

```
   7 1 2
 - 3 5 5
 ─────────
```

```
   6 4 1
 - 3 6 9
 ─────────
```

```
   8 2 4
 - 2 5 5
 ─────────
```

```
   9 5 3
 - 1 7 7
 ─────────
```

```
   7 6 4
 - 4 9 8
 ─────────
```

```
   8 3 2
 - 3 5 4
 ─────────
```

연산 실력 체크

정답 수	/ 39개
날 짜	월 일

🐤 2~4주 사고력 연산을 학습하기 전에 기본 연산 실력을 점검해 보세요.

1.
```
    2 5 6
  + 1 2 1
```

2.
```
    5 1 4
  + 2 7 5
```

3.
```
    2 4 1
  + 7 0 2
```

4.
```
    3 1 6
  + 1 2 8
```

5.
```
    2 3 9
  + 1 4 2
```

6.
```
    5 2 5
  + 3 3 6
```

7.
```
    2 4 3
  + 2 6 0
```

8.
```
    1 7 2
  + 5 8 7
```

9.
```
    3 9 4
  + 4 8 3
```

10.
```
    1 7 4
  + 3 7 9
```

11.
```
    5 4 8
  + 1 9 4
```

12.
```
    2 8 9
  + 6 9 6
```

13.
```
   2 3 7
+  1 8 1
```

14.
```
   3 9 8
+  3 4 9
```

15.
```
   5 0 6
+  2 9 7
```

16.
```
   7 1 6
+  1 6 4
```

17.
```
   3 3 9
+  5 6 9
```

18.
```
   2 3 8
+  3 8 6
```

19.
```
   4 5 2
-  2 3 1
```

20.
```
   3 6 8
-  1 0 4
```

21.
```
   7 4 6
-  3 2 3
```

22.
```
   5 4 3
-  1 2 9
```

23.
```
   4 8 7
-  1 3 8
```

24.
```
   6 2 3
-  2 1 7
```

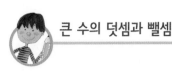

25.
```
    4 5 3
  - 1 7 1
  ─────────
```

26.
```
    3 0 8
  - 1 4 2
  ─────────
```

27.
```
    6 5 3
  - 2 9 0
  ─────────
```

28.
```
    5 2 3
  - 3 8 5
  ─────────
```

29.
```
    7 6 1
  - 3 9 4
  ─────────
```

30.
```
    6 2 4
  - 1 6 6
  ─────────
```

31.
```
    3 1 2
  - 1 0 6
  ─────────
```

32.
```
    9 6 8
  - 4 7 9
  ─────────
```

33.
```
    8 2 0
  - 6 0 6
  ─────────
```

34.
```
    6 6 2
  - 2 8 2
  ─────────
```

35.
```
    9 3 1
  - 1 2 7
  ─────────
```

36.
```
    7 4 5
  - 3 4 6
  ─────────
```

37.
```
    9 2 2
-   4 2 8
```

38.
```
    7 4 0
-   3 7 8
```

39.
```
    8 0 6
-   5 0 9
```

연산 실력 분석

오답 수에 맞게 학습을 진행하시기 바랍니다.

평가	오답 수	학습 방법
최고예요	0 ~ 2개	전반적으로 학습 내용에 대해 정확히 이해하고 있으며 매우 우수합니다. 기본 연산 문제를 자신 있게 풀 수 있는 실력을 갖추었으므로 이제는 사고력을 향상시킬 차례입니다. 2주차부터 차근차근 학습을 진행해 보세요. 학습 [2주차] → [3주차] → [4주차]
잘했어요	3 ~ 4개	기본 연산 문제를 전반적으로 잘 이해하고 풀었지만 약간의 실수가 있는 것 같습니다. 틀린 문제를 다시 한 번 풀어 보고, 문제를 차근차근 푸는 습관을 갖도록 노력해 보세요. 매스티안 홈페이지에서 제공하는 보충 학습으로 연산 실력을 향상시킨 후 2, 3, 4주차 학습을 진행해 주세요. 학습 [틀린 문제 복습] → [보충 학습] → [2주차] → …
노력해요	5개 이상	개념을 정확하게 이해하고 있지 않아 연산을 하는데 어려움이 있습니다. 개념을 이해하고 연산 문제를 반복해서 연습해 보세요. 매스티안 홈페이지에서 제공하는 보충 학습이 연산 실력을 향상시키는데 도움이 될 것입니다. 여러분도 곧 연산왕이 될 수 있습니다. 조금만 힘을 내 주세요. 학습 [1주차 원리 중심 복습] → [보충 학습] → [2주차] → …

매스티안 홈페이지 : www.mathtian.com

학습관리표

일 자			소요 시간	틀린 문항 수	확인
❶ 일차	월	일	:		
❷ 일차	월	일	:		
❸ 일차	월	일	:		
❹ 일차	월	일	:		
❺ 일차	월	일	:		

2주

1
일차

측정 셈

💐 ▦ 안에 알맞은 수를 써넣으시오.

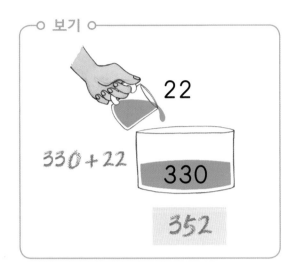

♀ 안에 알맞은 수를 써넣으시오.

○ 보기 ○

22

330 + 22

330

352

43

255

17

149

61

758

79

696

78

477

2
B05

♀ ☐ 안에 알맞은 수를 써넣으시오.

○ 보기 ○

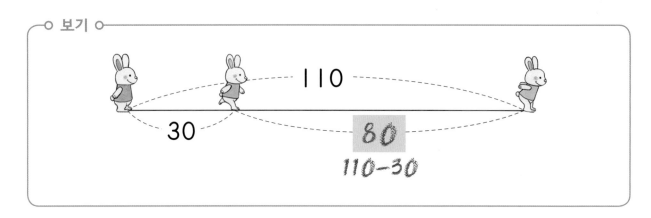

110

30

80
110-30

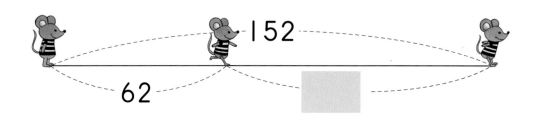

152

62

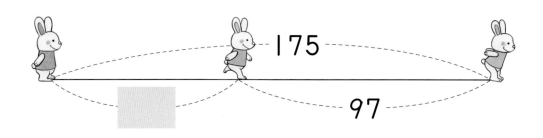

175

97

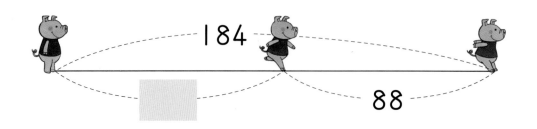

184

88

🌱 계산 결과가 같은 칸을 찾아 해당하는 글자를 써넣고 수수께끼를 해결해 보시오.

호

$$\begin{array}{r} 320 \\ -\ \ 18 \\ \hline 302 \end{array}$$

은

$$\begin{array}{r} 459 \\ -\ \ 98 \\ \hline \end{array}$$

의

$$\begin{array}{r} 218 \\ +\ \ 64 \\ \hline \end{array}$$

돈

$$\begin{array}{r} 252 \\ +\ \ 78 \\ \hline \end{array}$$

주

$$\begin{array}{r} 767 \\ -\ \ 69 \\ \hline \end{array}$$

?

$$\begin{array}{r} 199 \\ +\ \ 99 \\ \hline \end{array}$$

2

B05

수수께끼

302	698	282
호		

330	361	298

답 ➡

2 일차

길 찾기

🌷 사다리타기를 하여 ▨ 안에 알맞은 수를 써넣으시오.

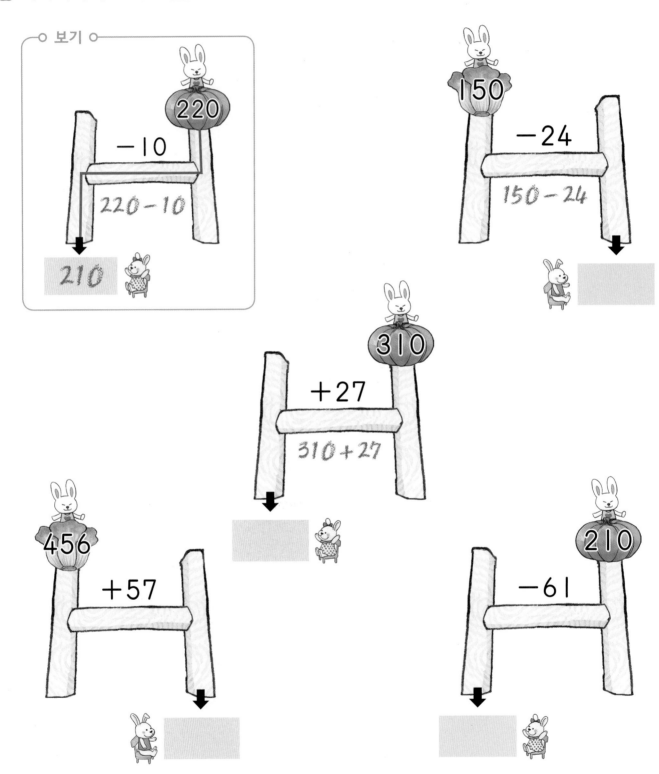

보기

220

−10

220−10

210

150

−24

150−24

310

+27

310+27

456

+57

210

−61

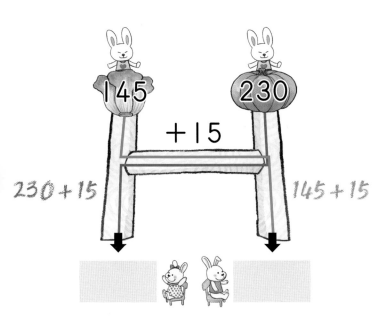

145   230

$+15$

$230+15$ $145+15$

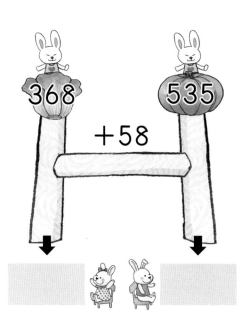

368   535

$+58$

2
B05

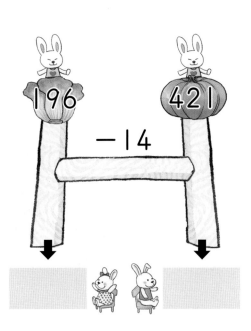

196   421

-14

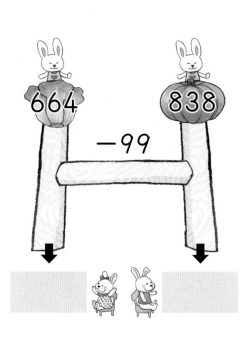

664   838

-99

2
일차

올바른 식이 되도록 선을 그어 보시오.

○ 보기 ○

$$255 + 75 = 330$$

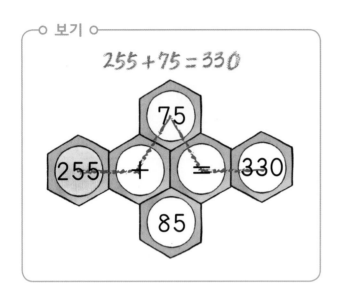

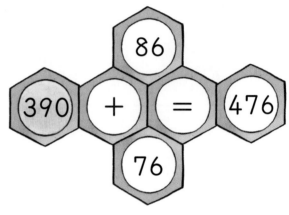

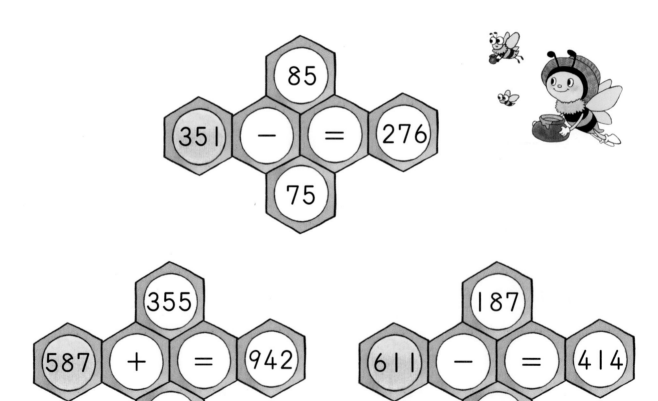

계산 결과가 더 큰 수를 따라갈 때, 만나는 친구를 찾아 ◯표 하시오.

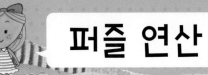

퍼즐 연산

🌷 규칙에 맞게 빈칸에 알맞은 수를 써넣으시오.

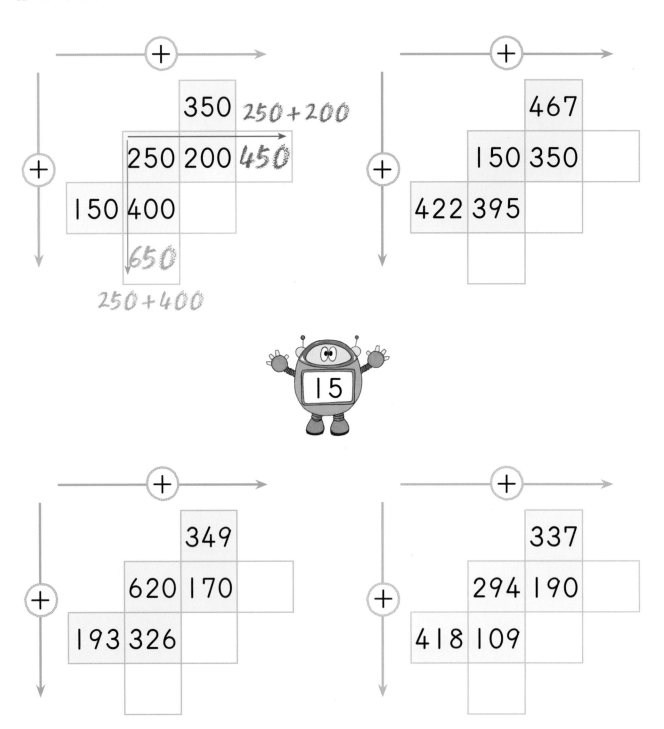

첫 번째 (왼쪽 위):
+
350   250+200
250 200 450
150 400
650
250+400

두 번째 (오른쪽 위):
+
467
150 350
422 395

가운데: 15 (로봇)

세 번째 (왼쪽 아래):
+
349
620 170
193 326

네 번째 (오른쪽 아래):
+
337
294 190
418 109

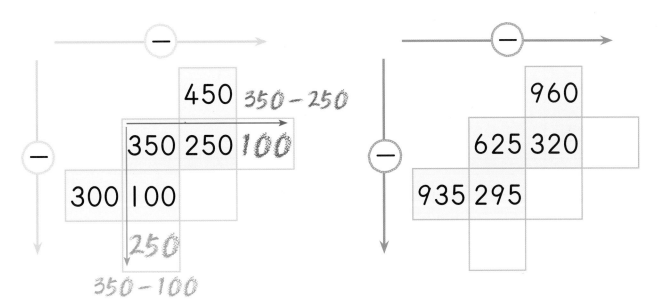

450   350-250

350 250 100

300 100

250

350-100

960

625 320

935 295

15

858

746 245

919 306

691

702 399

528 236

🟦 ☐ 안에 알맞은 수를 써넣으시오.

┌─○ 보기 ○─────────────────────────┐

│ 158
│ +
│ **90**   158 + 90 = 248
│ =
│ 248 + 9 = **257**
│ 248 + 9 = 257
└───────────────────────────────┘

360 + ☐ = 380
+
52
=
☐

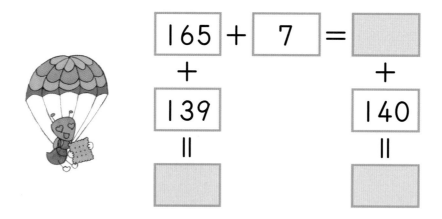

165 + 7 = ☐
+   +
139   140
=   =
☐   ☐

285   239   350   784
+   +   +   +
☐   199   ☐   137
=   =   =   =
310 + ☐ = ☐   ☐   ☐ + 120 = ☐

🌷 계산 결과와 같은 수를 찾아 선을 이으시오.

```
  2 5 4
+ 1 4 8
```

```
  4 9 5
- 2 8 9
```

```
  2 0 8
- 1 2 6
    8 2
```

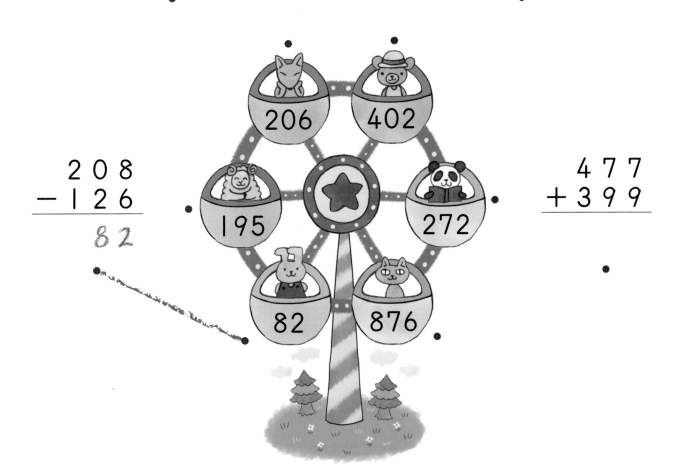

```
  4 7 7
+ 3 9 9
```

```
  3 0 4
- 1 0 9
```

```
  1 4 6
+ 1 2 6
```

2
B05

4
일차

올바른 식 찾기

🌷 주어진 식 중 올바른 식을 찾아 ◯표 하시오.

○ 보기 ○

$160-7=153$

$176-6=160$

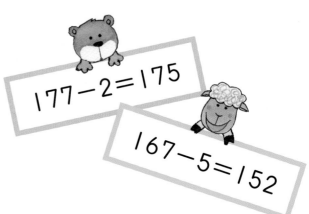

$177-2=175$

$167-5=152$

$250-3=237$

$425-8=417$

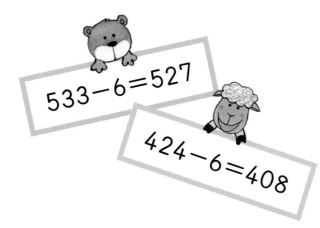

$533-6=527$

$424-6=408$

$980-3=877$

$901-9=892$

○ 주어진 계산 값이 나오는 덧셈식 또는 뺄셈식을 찾아 ◯표 하시오.

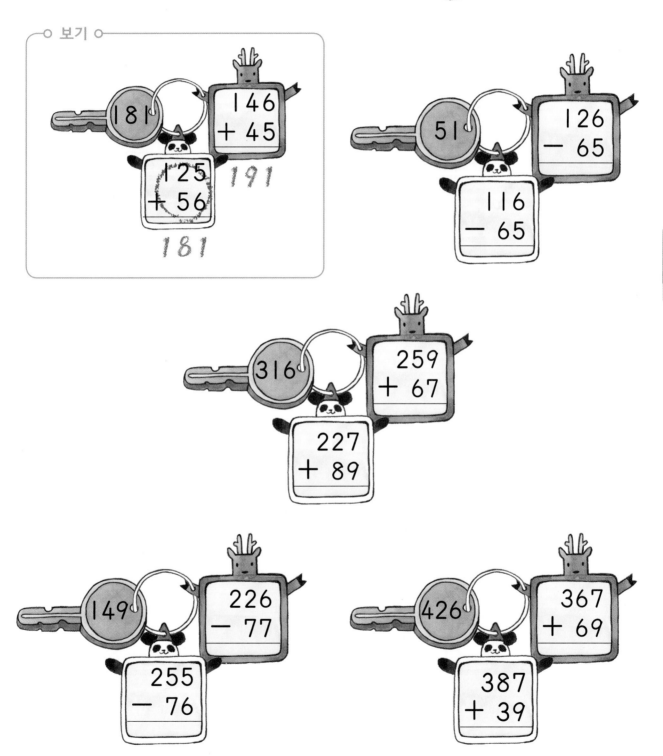

○ 보기 ○

181

$\begin{array}{r} 146 \\ +\ 45 \\ \hline \end{array}$ 191

$\begin{array}{r} 1\ 25 \\ +\ 56 \\ \hline \end{array}$ 181

51

$\begin{array}{r} 126 \\ -\ 65 \\ \hline \end{array}$

$\begin{array}{r} 116 \\ -\ 65 \\ \hline \end{array}$

316

$\begin{array}{r} 259 \\ +\ 67 \\ \hline \end{array}$

$\begin{array}{r} 227 \\ +\ 89 \\ \hline \end{array}$

149

$\begin{array}{r} 226 \\ -\ 77 \\ \hline \end{array}$

$\begin{array}{r} 255 \\ -\ 76 \\ \hline \end{array}$

426

$\begin{array}{r} 367 \\ +\ 69 \\ \hline \end{array}$

$\begin{array}{r} 387 \\ +\ 39 \\ \hline \end{array}$

4 일차

1개의 수를 ✗표로 지워 두 수의 합이 ◯ 안의 수가 되도록 하시오.

◯ 보기 ◯

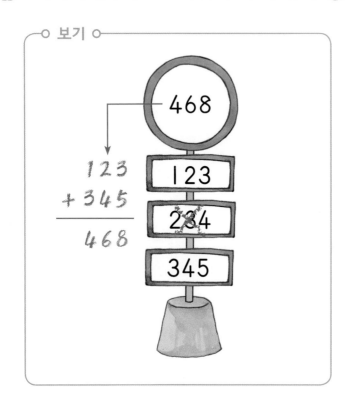

$$
\begin{array}{r}
123 \\
+\ 345 \\
\hline
468
\end{array}
$$

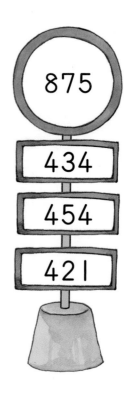

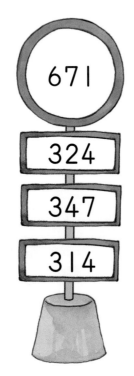

💧 표에서 계산한 값을 찾아 알맞게 색칠하시오.

⚪	⚫	⚫	⚫	⚫	⚫
484	323	341	734	402	455

$$\begin{array}{r} 295 \\ +160 \\ \hline \end{array}$$

$$\begin{array}{r} 491 \\ -\ 89 \\ \hline \end{array}$$

$$\begin{array}{r} 912 \\ -178 \\ \hline \end{array}$$

$$\begin{array}{r} 401 \\ -\ 78 \\ \hline \end{array}$$

$$\begin{array}{r} 172 \\ +169 \\ \hline \end{array}$$

$$\begin{array}{r} 395 \\ +\ 89 \\ \hline 484 \end{array}$$

2

B05

5 일차

수 퍼즐

🌷 식이 성립하도록 ☐ 안에 알맞은 수를 써넣으시오.

					4			1		1		
					5			9		④		
2	0	+	1	3	[5]	=	1	5	5			
					2			+		+		
⑥	9	5	+	⑤	2	=	8	8	7			
		③			2			4				
		=			[0]			=				
4	0	2	+	9	=	4	1	②				
		9			4			8				
		9			1			5				

① → 5 + 0 = 5

① 5   ②   ③

④   ⑤   ⑥

60 · B05 큰 수의 덧셈과 뺄셈

2
B05

		9				
1		6			9	
6		3			8	
④ 5	9	−	③	= 2	5	0
−		1			−	
3		4			4	
1	0	2	−	⑤ =	9	7
=		=			=	
1	⑥	8	− 9	= 9	9	
3		2			3	
4		①		②		

① → 3−2=1

① [1]   ② [ ]   ③ [ ]

④ [ ]   ⑤ [ ]   ⑥ [ ]

식이 성립하도록 ☐ 안에 알맞은 수를 써넣으시오.

		⑤		1		1	
		4		8		7	
2	0	+	⑧	8	0	=	⑥	0	0
		1		−		+	
1	9	2	−	③	0	=	1	4	②
		5		6		9	
		=		=		=	
1	4	1	+	1	①	=	1	5	6
		8		3		⑦	
		④		2		4	

① ☐ ② ☐ ③ ☐ ④ ☐

⑤ ☐ ⑥ ☐ ⑦ ☐ ⑧ ☐

🌸 주어진 가로·세로 열쇠를 보고 퍼즐을 완성하시오.

가로 열쇠	세로 열쇠

가로 열쇠

① 　300　　② 　217
　 －201　　　 ＋188
　　　 9 9

③ 　379　　④ 　601
　 ＋389　　　 －484

세로 열쇠

㉠ 　711　　㉡ 　290
　 ＋229　　　 －239

㉢ 　891　　㉣ 　619
　 －855　　　 ＋195

학습관리표

일 자			소요 시간	틀린 문항 수	확인
❶ 일차	월	일	:		
❷ 일차	월	일	:		
❸ 일차	월	일	:		
❹ 일차	월	일	:		
❺ 일차	월	일	:		

3 주

1
일차

팔린드롬 수 만들기

🌷 1단계 팔린드롬 수가 맞는지 알아보시오.

팔린드롬 수 만들기

※ 팔린드롬 수 : 202와 같이 앞에서부터 읽어도, 뒤에서부터 거꾸로 읽어도 같은 수

※ 1단계 팔린드롬 수 : 어떤 수와 그 수를 거꾸로 읽은 수의 합이 팔린드롬 수가 되는 수

예 143 →(1단계)→

$$
\begin{array}{r}
1\ 4\ 3 \\
+\ 3\ 4\ 1 \\
\hline
4\ 8\ 4
\end{array}
$$

+341 ← 143을 거꾸로 읽은 수

484 ← 팔린드롬 수

---

314 →(1단계)→

$$
\begin{array}{r}
3\ 1\ 4 \\
+\ 4\ 1\ 3 \\
\hline
\end{array}
$$

128 →(1단계)→

435 →(1단계)→

243 →(1단계)→

○ 몇 단계 팔린드롬 수인지 알아보고, ▨ 안에 알맞게 써넣으시오.

─○ 보기 ○─

263 →1단계→
$$\begin{array}{r} 263 \\ +\,362 \\ \hline 625 \end{array}$$
→2단계→
$$\begin{array}{r} 625 \\ +\,526 \\ \hline 1151 \end{array}$$
→3단계→
$$\begin{array}{r} 1151 \\ +\,1511 \\ \hline 2662 \end{array}$$

팔린드롬 수

➡ 263은 **3** 단계 팔린드롬 수

627 →1단계→
$$\begin{array}{r} 627 \\ +\,726 \\ \hline 1353 \end{array}$$
→2단계→ 1353 →3단계→

➡ 627은 ▨ 단계 팔린드롬 수

194 →1단계→ →2단계→ →3단계→

➡ 194는 ▨ 단계 팔린드롬 수

439 →1단계→ →2단계→ →3단계→

➡ 439는 ▨ 단계 팔린드롬 수

주어진 수를 보고, ▨ 안에 알맞은 수를 써넣으시오.

236	427	715
432	536	148	284
326	627	913

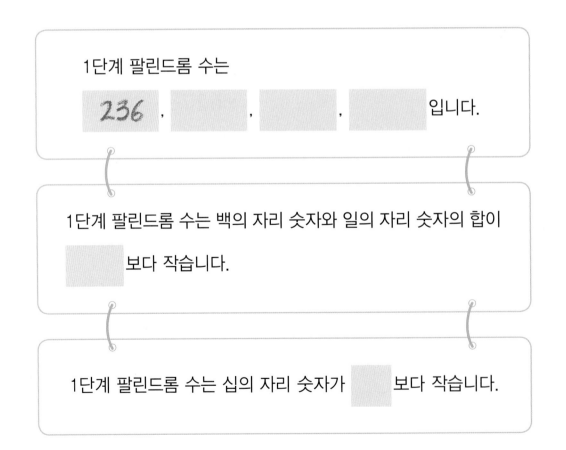

1단계 팔린드롬 수는

236 , ▢ , ▢ , ▢ 입니다.

1단계 팔린드롬 수는 백의 자리 숫자와 일의 자리 숫자의 합이

▢ 보다 작습니다.

1단계 팔린드롬 수는 십의 자리 숫자가 ▢ 보다 작습니다.

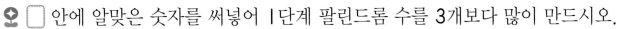

안에 알맞은 숫자를 써넣어 1단계 팔린드롬 수를 3개보다 많이 만드시오.

1 2 □

122, 123

□ 3 5

3

B05

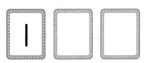

6 □ 2

1 □ □

여러 수의 덧셈과 뺄셈

🌷 주어진 식을 계산하시오.

○ 보기 ○

$$98+99+101+102 = 200 + 200 = 400$$

(위: 200, 아래: 200)

400
400
$$190+194+198+202+206+210$$
400

$$= 400 + \boxed{} + \boxed{} = \boxed{}$$

$$220+230+240+260+270+280$$

$$= \boxed{} + \boxed{} + \boxed{} = \boxed{}$$

$$76+90+104+118+132+146+160+174$$

$$= \boxed{}$$

$$\underset{300}{\underbrace{110+130+150+170+190}}$$

$$= \boxed{300} + \boxed{300} + \boxed{150} = \boxed{}$$

$$97+98+99+100+101+102+103$$

$$= \boxed{} + \boxed{} + \boxed{} + \boxed{100} = \boxed{}$$

$$116+144+172+200+228+256+284$$

$$= \boxed{}$$

$$325+335+345+355+365+375+385$$

$$= \boxed{}$$

2 일차

🙎 주어진 식을 계산하시오.

─○ 보기 ○─

$\overbrace{109-108}^{1}+\overbrace{107-106}^{1}+\overbrace{105-104}^{1}$

$= \boxed{1} + \boxed{1} + \boxed{1} = \boxed{3}$

$\overbrace{900-850}^{50}+\overbrace{800-750}^{50}+\overbrace{700-650}^{50}+\overbrace{600-550}^{50}$

$= \boxed{50} + \boxed{50} + \boxed{50} + \boxed{50} = \boxed{}$

$357-332+307-282+257-232+207-182$

$= \boxed{} + \boxed{} + \boxed{} + \boxed{} = \boxed{}$

$889-778+667-556+445-334+223-112$

$= \boxed{}$

2
2
2

500＋496＋492－490－494－498

＝ 2 ＋ ☐ ＋ ☐ ＝ ☐

10

190＋280＋370＋260－250－340－230－120

＝ ☐ ＋ ☐ ＋ ☐ ＋ ☐ ＝ ☐

3

B05

190＋250＋310＋370－160－220－280－340

＝ ☐

987＋867＋747＋627－927－807－687－567

＝ ☐

3 일차 수의 크기 비교

❁ □ 안에 들어갈 수 있는 **한 자리 수**를 모두 찾아 ◯표 하시오.

○ 보기 ○

$165 - \square > 160$ ➡

$165 - 5 = 160$
$165 - 4 = 161$
$165 - 3 = 162$
⋮

⓪ ① ② ③ ④
5   6   7   8   9

$279 - \square > 273$ ➡

$279 - 6 = 273$
$279 - 5 = 274$
⋮

0   1   2   3   4
5   6   7   8   9

$511 - \square > 504$ ➡

0   1   2   3   4
5   6   7   8   9

$219 - \square < 215$ →

0	1	2	3	4
5	6	7	8	9

$387 - \square < 382$ →

0	1	2	3	4
5	6	7	8	9

$752 - \square < 749$ →

0	1	2	3	4
5	6	7	8	9

$601 - \square < 595$ →

0	1	2	3	4
5	6	7	8	9

3

B05

❀ □ 안에 들어갈 수 있는 수 중 **가장 큰 수**를 쓰시오.

> **○ 보기 ○**
>
> $$215 - \boxed{} > 200$$
>
> 가장 큰 수 : 14
>
> $215 - 14 = 201$
> $215 - 13 = 202$
> $\vdots$

$$435 - \boxed{} > 415$$

가장 큰 수 :

$435 - 19 = 416$
$435 - 18 = 417$
$\vdots$

$$573 - \boxed{} > 549$$

가장 큰 수 :

$$670 < 680 - \boxed{}$$

가장 큰 수 :

$$745 < 767 - \boxed{}$$

가장 큰 수 :

❀ ☐ 안에 들어갈 수 있는 수 중 **가장 작은 수**를 쓰시오.

┌─○ 보기 ○─────────────────────────────────┐

190 − ☐ < 170   가장 작은 수 : 21

190 − 21 = 169
190 − 22 = 168
⋮

└──┘

275 − ☐ < 252   가장 작은 수 :

275 − 24 = 251
275 − 25 = 250
⋮

391 − ☐ < 376   가장 작은 수 :

888 > 899 − ☐   가장 작은 수 :

617 > 631 − ☐   가장 작은 수 :

벌레먹은 셈

❧ ▨ 안에 알맞은 숫자를 써넣으시오.

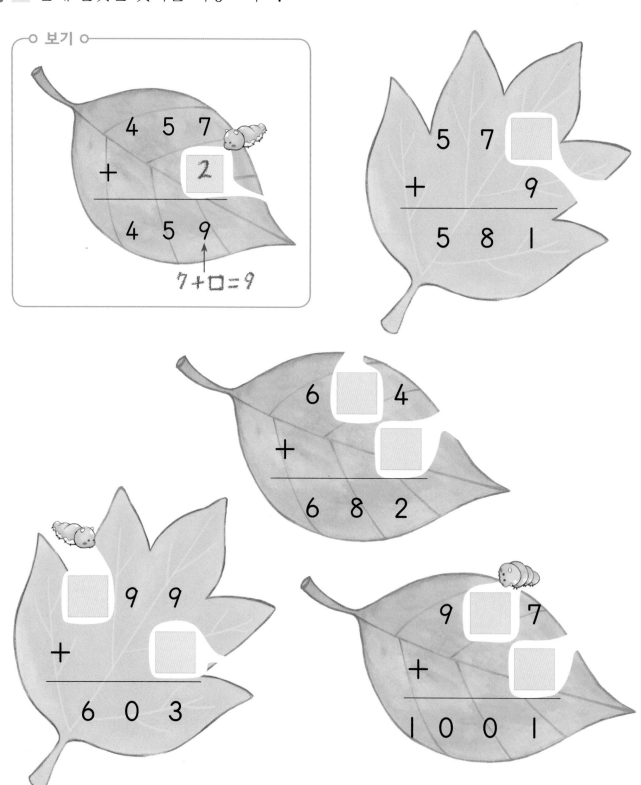

보기

```
  4 5 7
+     2
───────
  4 5 9
```
7+□=9

```
  5 7 □
+     9
───────
  5 8 1
```

```
  6 □ 4
+   □
───────
  6 8 2
```

```
  □ 9 9
+   □
───────
  6 0 3
```

```
  9 □ 7
+   □
───────
1 0 0 1
```

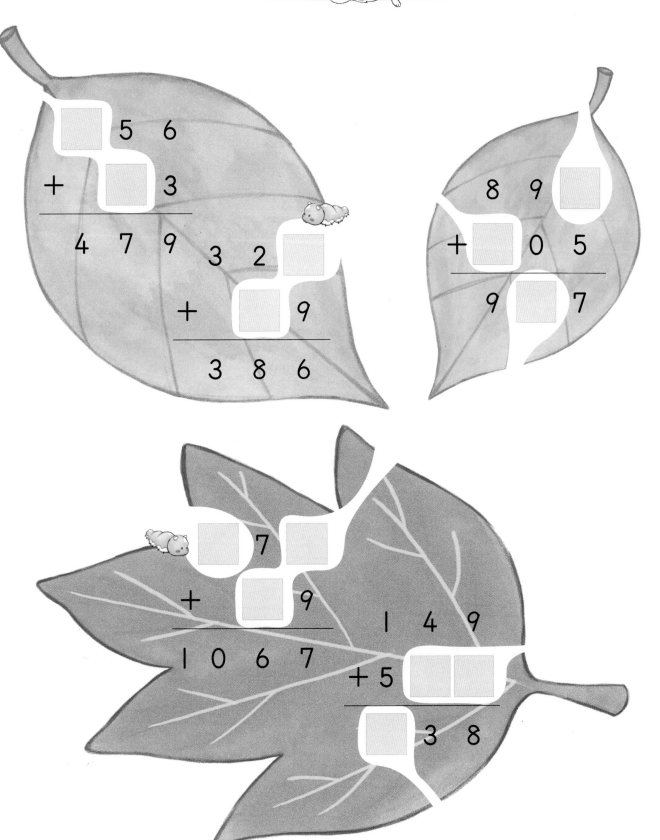

$$
\begin{array}{r}
\square\;5\;6 \\
+\ \square\;3 \\
\hline
4\;7\;9
\end{array}
$$

$$
\begin{array}{r}
3\;2\;\square \\
+\ \square\;9 \\
\hline
3\;8\;6
\end{array}
$$

$$
\begin{array}{r}
8\;9\;\square \\
+\ \square\;0\;5 \\
\hline
9\;\square\;7
\end{array}
$$

$$
\begin{array}{r}
\square\;7\;\square \\
+\ \square\;9 \\
\hline
1\;0\;6\;7
\end{array}
$$

$$
\begin{array}{r}
1\;4\;9 \\
+\ 5\;\square\;\square \\
\hline
\square\;3\;8
\end{array}
$$

3
B05

😊 ☐ 안에 알맞은 숫자를 써넣으시오.

$$\begin{array}{r} 5\ 7\ \boxed{} \\ -\qquad 4 \\ \hline 5\ 7\ 0 \end{array}$$

□-4=0

$$\begin{array}{r} 8\ \boxed{}\ 6 \\ -\qquad 7 \\ \hline 8\ 6\ \boxed{} \end{array}$$

$$\begin{array}{r} \boxed{}\ 1\ \boxed{} \\ -\qquad 5 \\ \hline 9\ 0\ 7 \end{array}$$

$$\begin{array}{r} 7\ \boxed{}\ 1 \\ -\qquad \boxed{} \\ \hline 7\ 2\ 4 \end{array}$$

$$\begin{array}{r} \boxed{}\ \boxed{}\ 4 \\ -\qquad \boxed{} \\ \hline 9\ 5 \end{array}$$

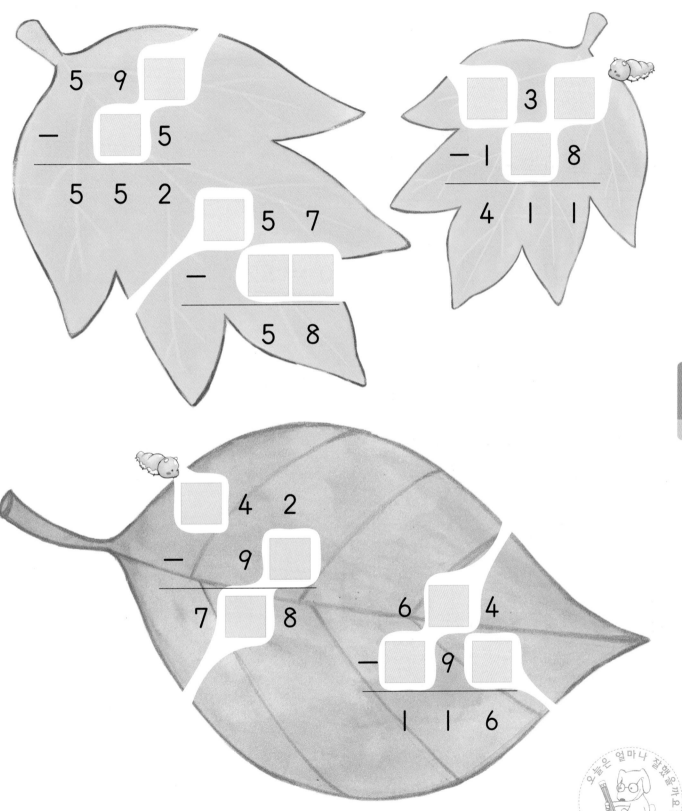

3

B05

오늘은 얼마나 잘했을까요?
칭찬 붙임 딱지를
붙여 주세요!

5
일차

기호 넣기

🌷 ◯ 안에 **+** 또는 **−** 기호를 알맞게 써넣으시오.

─○ 보기 ○─

$$50 \;(\!+\!)\; 600 \;(\!-\!)\; 150 = 500$$

$$470 \;(\!-\!)\; 250 \;(\bigcirc)\; 300 = 520$$

$$61 \;(\bigcirc)\; 105 \;(\bigcirc)\; 57 = 109$$

$$191 \;(\bigcirc)\; 72 \;(\bigcirc)\; 136 = 399$$

$$905 \;(\bigcirc)\; 105 \;(\bigcirc)\; 430 = 1230$$

$$825 \;(\bigcirc)\; 493 \;(\bigcirc)\; 252 = 80$$

양팔 저울이 수평을 이루도록 ◯ 안에 **+** 또는 **−** 기호를 알맞게 써넣으시오.

보기

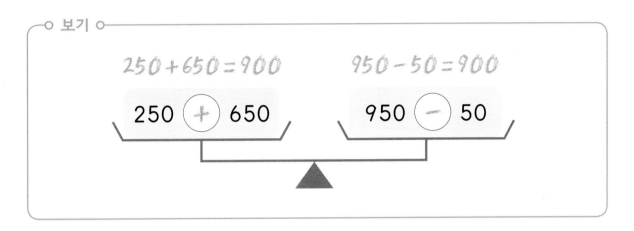

$$250 + 650 = 900$$ $$950 - 50 = 900$$

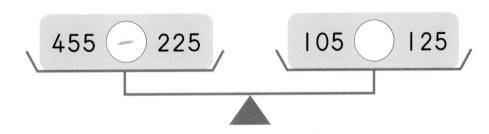

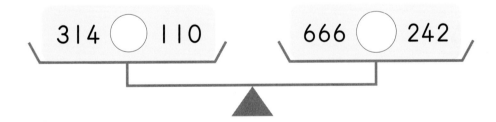

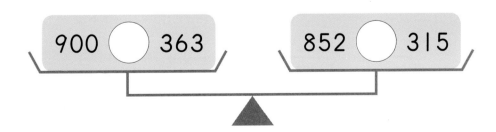

👤 숫자 사이에 **+** 또는 **−** 기호 1개를 넣어 식을 완성하시오.

┌─○ 보기 ○─

1　9　4 ✛ 5 = 199

4　3　7　1 = 438

5　9　6　5 = 591

3　1　9　4　2 = 277

1　0　5　9　1 = 601

9   8   8   1   9 = 917

1   4   0   5   8 = 198

2   0   4   4   5 = 159

2   3   4   5   6 = 479

9   5   5   7   4 = 881

학습관리표

일 자			소요 시간	틀린 문항 수	확인
❶ 일차	월	일	:		
❷ 일차	월	일	:		
❸ 일차	월	일	:		
❹ 일차	월	일	:		
❺ 일차	월	일	:		

4 주

🌷 ▨ 안에 알맞은 수를 써넣으시오. (단, 같은 모양은 같은 숫자를 나타냅니다.)

─○ 보기 ○─

$$\begin{array}{r} 4\ 1\ 😷 \\ +\ \ \ \ 😷 \\ \hline 4\ 2\ 0 \end{array}$$

😷 = 5 →

$$\begin{array}{r} 4\ 1\ 5 \\ +\ \ \ \ 5 \\ \hline 4\ 2\ 0 \end{array}$$

↑ 5+5=10

$$\begin{array}{r} 2\ 😷\ 4 \\ +\ \ \ \ 5 \\ \hline 2\ 😷\ 😷 \end{array}$$

😷 = ▨

$$\begin{array}{r} 3\ 😷\ 😷 \\ +\ \ \ \ 5 \\ \hline 3\ 7\ 1 \end{array}$$

😷 = ▨

$$\begin{array}{r} 4\ 😷\ 😷 \\ +\ \ \ 2\ 5 \\ \hline 4\ 3\ 6 \end{array}$$

😷 = ▨

$$\begin{array}{r} 5\ 0\ 2 \\ +\ \ \ 😷\ 😷 \\ \hline 5\ 9\ 0 \end{array}$$

😷 = ▨

5 😷 0
−   6
─────────
5 3 😷

😷 = ☐

6 😠 3 
−   😠
─────────
6 7 5

😠 = ☐

6 😠 😠  
−   3 😠 
─────────
6 1 0

😠 = ☐

8 7 😊 
− 3  😊 4
─────────
😊 2 1 

😊 = ☐

😠 😠 2
− 1 8 😠 
─────────
4 7 😠

😠 = ☐

4
B05

안에 알맞은 수를 써넣으시오. (단, 같은 모양은 같은 숫자를 나타냅니다.)

보기

```
  5 😠 😦           😦 = 5        5 😠 5          😠 = 2        5 2 5
+ 😠 0 😠      →               + 😠 0 5      →              + 2 0 5
─────────                     ─────────                    ─────────
  7 3 0                         7 3 0                        7 3 0
```

5+5=10   5+2=7

```
  😠 6 😦
+ 😠 😦 4
─────────
  2 9 7
```

😦 = ▨ , 😠 = ▨

```
  🙂 6 😠
+ 2 🙂 😠
─────────
  3 7 8
```

😠 = ▨ , 🙂 = ▨

```
  6 😦 😦
+ 😠 0 3
─────────
1 3 4 😠
```

😦 = ▨ , 😠 = ▨

 6 9
− 8
3 2

 = □ , = □

5 9
− 2
4 6

= □ , = □

8 6
− 5
 3 7

 = □ , = □

4

B05

3 6
− 7
1 4

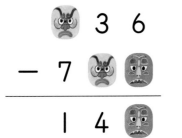 = □ , = □

4
− 1 9
3 6

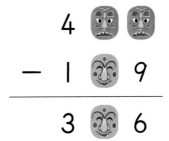 = □ , = □

가장 큰 값

🌷 숫자 카드를 한 번씩 사용하여 계산 결과가 **가장 큰 값**이 되도록 만들어 보시오.

온라인 활동지

○ 보기 ○

| 1 | 2 | 4 |
| 6 | 8 |

```
  8 6 4
+   2 1
-------
  8 8 5
```

```
  8 6 2
+   4 1
-------
  9 0 3
```

➡

가장 큰 값

```
  8 6 2
+   4 1
-------
  9 0 3
```

| 2 | 3 | 5 |
| 6 | 7 |

```
  7 6 5
+   3 2
-------

```

```
  7 6 3
+   5 2
-------

```

➡

가장 큰 값

```
  □ □ □
+   □ □
-------

```

| 1 | 2 | 4 |
| 5 | 8 |

```
  □ 5 □
+   □ □
-------

```

```
  □ 5 □
+   □ □
-------

```

➡

가장 큰 값

```
  □ □ □
+   □ □
-------

```

가장 큰 값

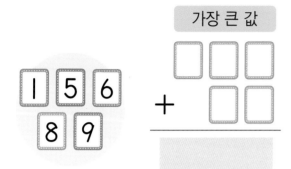

1 5 6
8 9

+ [ ][ ][ ]
  [ ][ ]

가장 큰 값

2 3 4
5 7

+ [ ][ ][ ]
  [ ][ ]

가장 큰 값

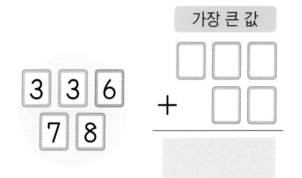

3 3 6
7 8

+ [ ][ ][ ]
  [ ]

4
B05

가장 큰 값

1 2 2
4 7

+ [ ][ ][ ]
  [ ][ ]

가장 큰 값

0 3 5
6 9

+ [ ][ ][ ]
  [ ][ ]

숫자 카드를 한 번씩 사용하여 계산 결과가 **가장 큰 값**이 되도록 만들어 보시오.

온라인 활동지

보기

| 1 | 4 | 5 |
| 6 | 8 |

➡

가장 큰 값

$$
\begin{array}{r}
8\ 6\ 5 \\
-\ \ \ 1\ 4 \\
\hline
8\ 5\ 1
\end{array}
$$

← 가장 큰 세 자리 수
← 가장 작은 두 자리 수

| 1 | 3 | 5 |
| 7 | 9 |

가장 큰 값

$$
\begin{array}{r}
\square\ \square\ \square \\
-\ \ \ \square\ \square \\
\hline
\end{array}
$$

| 2 | 3 | 6 |
| 7 | 8 |

가장 큰 값

$$
\begin{array}{r}
\square\ \square\ \square \\
-\ \ \ \square\ \square \\
\hline
\end{array}
$$

| 2 | 4 | 5 |
| 6 | 9 |

가장 큰 값

$$
\begin{array}{r}
\square\ \square\ \square \\
-\ \ \ \square\ \square \\
\hline
\end{array}
$$

가장 큰 값

2 3 5
6 8

□ □ □
− □ □

가장 큰 값

1 3 6
7 9

□ □ □
− □ □

가장 큰 값

1 1 5
6 7

□ □ □
− □ □

4

B05

가장 큰 값

1 4 4
7 8

□ □ □
− □ □

가장 큰 값

0 2 3
4 6

□ □ □
− □ □

3 일차

가장 작은 값

🌷 숫자 카드를 한 번씩 사용하여 계산 결과가 **가장 작은 값**이 되도록 만들어 보시오.

🖨 온라인 활동지

○ 보기 ○

가장 작은 값

| 1 | 3 | 5 |
| 7 | 8 | |

```
  1 3 5        1 3 7           1 3 7
+   7 8      +   5 8    ➡    +   5 8
───────      ───────         ───────
  2 1 3        1 9 5           1 9 5
```

가장 작은 값

| 1 | 3 | 4 |
| 5 | 7 | |

```
  1 3 4        1 3 5           ☐ ☐ ☐
+   5 7      +   4 7    ➡    +   ☐ ☐
```

가장 작은 값

| 1 | 4 | 6 |
| 8 | 9 | |

```
  ☐ 4 ☐        ☐ 4 ☐           ☐ ☐ ☐
+   ☐ ☐      +   ☐ ☐    ➡    +   ☐ ☐
```

가장 작은 값

1 2 3
6 9

$+$ ▢▢▢ / ▢▢

가장 작은 값

1 2 3
4 5

$+$ ▢▢▢ / ▢▢

가장 작은 값

2 2 6
8 9

$+$ ▢▢▢ / ▢▢

가장 작은 값

1 2 4
4 5

$+$ ▢▢▢ / ▢▢

가장 작은 값

0 5 6
7 8

$+$ ▢▢▢ / ▢▢

4
B05

3 일차

숫자 카드를 한 번씩 사용하여 계산 결과가 **가장 작은 값**이 되도록 만들어 보시오.

온라인 활동지

○ 보기 ○

가장 작은 값

$$
\begin{array}{r}
1\ 2\ 3 \\
-\ \ \ 9\ 4 \\
\hline
2\ 9
\end{array}
$$

← 가장 작은 세 자리 수
← 가장 큰 두 자리 수

1 2 3 4 6

가장 작은 값

$$
\begin{array}{r}
\square\ \square\ \square \\
-\ \ \ \square\ \square \\
\hline
\end{array}
$$

2 4 6 8 9

가장 작은 값

$$
\begin{array}{r}
\square\ \square\ \square \\
-\ \ \ \square\ \square \\
\hline
\end{array}
$$

3 5 6 7 9

가장 작은 값

$$
\begin{array}{r}
\square\ \square\ \square \\
-\ \ \ \square\ \square \\
\hline
\end{array}
$$

가장 작은 값

−

가장 작은 값

−

가장 작은 값

−

4

B05

가장 작은 값

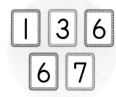

−

가장 작은 값

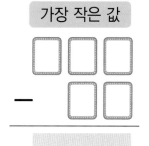

−

오늘은 얼마나 잘했을까요?
칭찬 붙임 딱지를
붙여 주세요!

🌷 가로, 세로, 대각선에 놓인 세 수의 합이 같도록 ▨ 안에 알맞은 수를 써넣으시오.

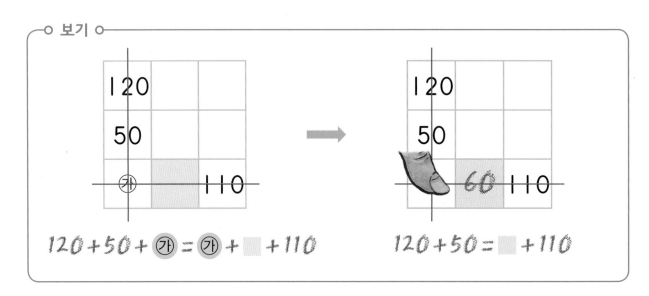

◦ 보기 ◦

120
50
㉮ 110

$$120+50+㉮=㉮+▨+110$$

120
50
60 110

$$120+50=▨+110$$

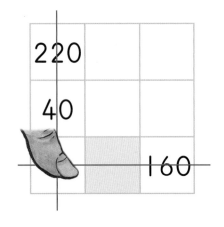

220
40
160

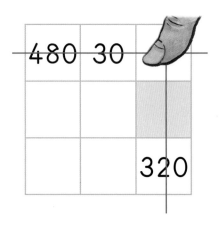

480 30
320

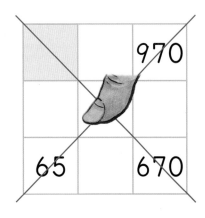

970
65 670

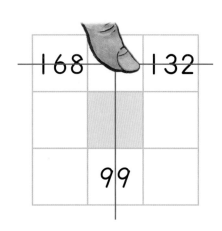

168 132
99

	510	45
25		

245		345
67		

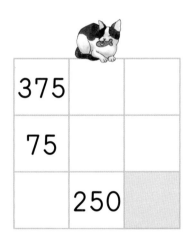

375		
75		
	250	

	333	
889		112

374		
	111	
292		

		449
	109	
		39

한 줄에 놓인 세 수의 합이 같도록 ◯ 안에 알맞은 수를 써넣으시오.

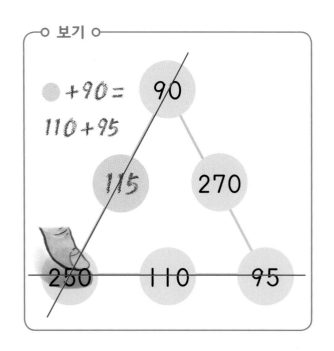

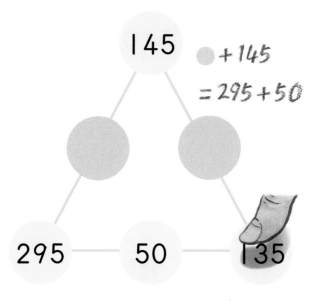

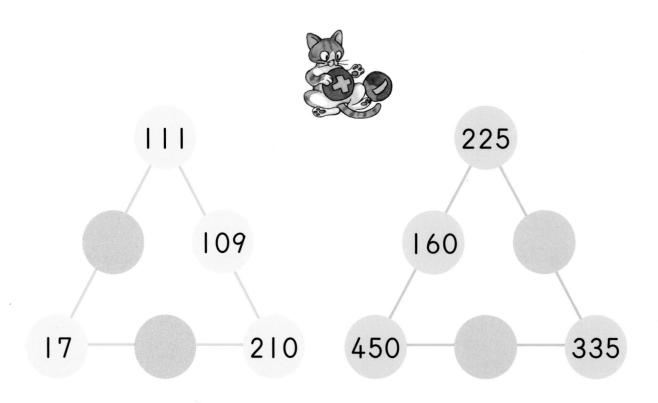

한 원 안의 수의 합이 같도록 빈 곳에 알맞은 수를 써넣으시오.

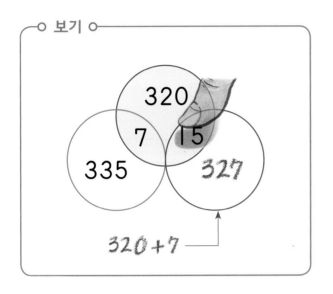

320+7

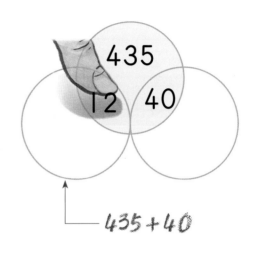

435+40

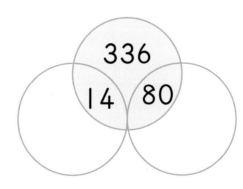

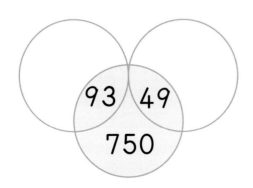

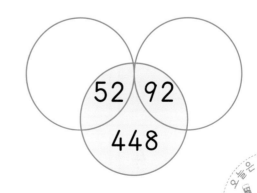

4

B05

퍼즐 연산

주어진 조각을 넣어서 뺄셈식을 완성하시오.

🖨 온라인 활동지

○ 보기 ○

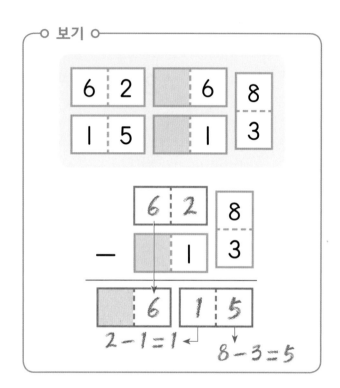

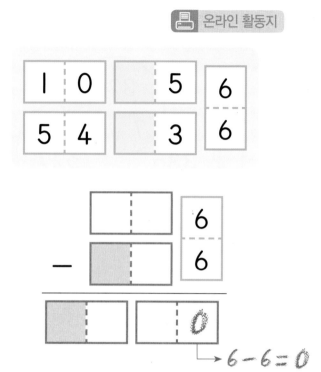

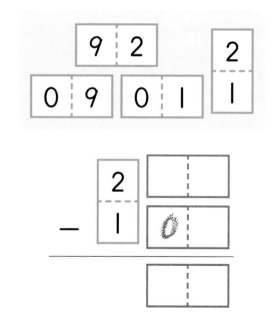

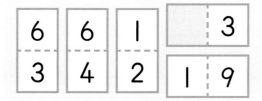

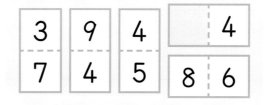

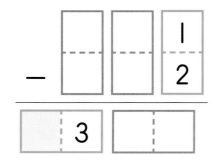

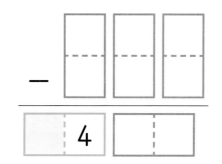

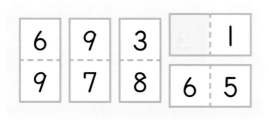

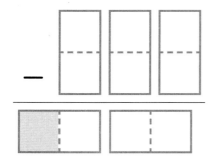

주어진 조각을 넣어서 덧셈식을 완성하시오.

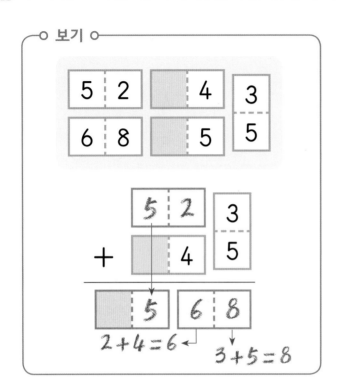

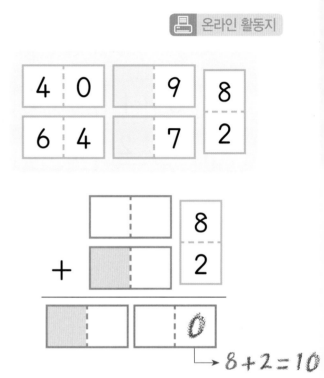

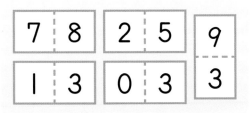

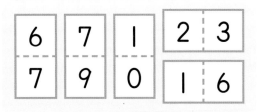

memo

B05

정답

 1주 1일차 받아올림, 받아내림이 없는 계산

받아올림이 없는 (세 자리 수)+(세 자리 수)와 받아내림이 없는 (세 자리 수)−(세 자리 수)를 학습하는 과정입니다.

세 자리 수 이상의 큰 수의 덧셈과 뺄셈은 가로셈으로 계산하는 것보다 세로셈으로 계산하는 것이 더 효율적입니다. 세로셈으로 계산할 때에는 자릿수를 맞추어 일의 자리, 십의 자리, 백의 자리의 순서로 차근차근 계산할 수 있도록 지도해 주세요.

〈덧셈〉

$$\begin{array}{r} 3\ 2\ 4 \\ +\ 2\ 1\ 3 \\ \hline 5\ 3\ 7 \end{array}$$

〈뺄셈〉

$$\begin{array}{r} 4\ 2\ 8 \\ -\ 2\ 1\ 5 \\ \hline 2\ 1\ 3 \end{array}$$

P 8~9

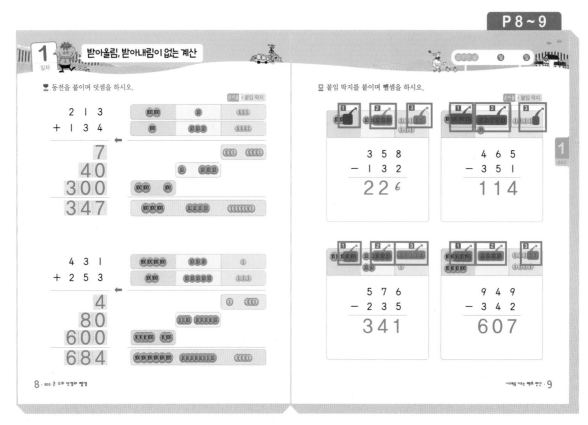

1 일차

🔵 일의 자리, 십의 자리, 백의 자리를 맞추어 덧셈을 하시오.

```
  3 2 4        3 2 4        3 2 4
+ 2 1 3   ➡   + 2 1 3   ➡   + 2 1 3
      7          3 7        5 3 7
```

```
  1 1 5        2 4 1        3 6 7
+ 3 1 2      + 2 3 5      + 2 1 2
  4 2 7        4 7 6        5 7 9
```

```
  4 6 8        1 5 6        4 2 3
+ 5 0 1      + 7 3 0      + 3 3 5
  9 6 9        8 8 6        7 5 8
```

```
  2 1 7        1 1 5        4 0 3
+ 4 2 1      + 2 6 2      + 3 4 2
  6 3 8        3 7 7        7 4 5
```

```
  1 6 2        3 4 5        6 7 2
+ 3 3 1      + 2 2 4      + 1 0 3
  4 9 3        5 6 9        7 7 5
```

```
  4 1 3        1 6 2        2 1 6
+ 2 4 6      + 8 3 7      + 6 2 1
  6 5 9        9 9 9        8 3 7
```

1 일차

🔵 일의 자리, 십의 자리, 백의 자리를 맞추어 뺄셈을 하시오.

```
  4 2 8        4 2 8        4 2 8
- 2 1 5   ➡   - 2 1 5   ➡   - 2 1 5
      3          1 3        2 1 3
```

```
  2 7 8        4 6 9        3 4 6
- 1 3 1      - 2 2 5      - 1 2 4
  1 4 7        2 4 4        2 2 2
```

```
  5 7 7        6 4 2        7 9 8
- 2 0 2      - 1 3 2      - 3 6 7
  3 7 5        5 1 0        4 3 1
```

```
  2 6 7        5 8 6        3 5 4
- 1 3 2      - 3 4 3      - 2 0 3
  1 3 5        2 4 3        1 5 1
```

```
  4 5 9        6 7 6        5 7 9
- 1 2 5      - 2 2 4      - 3 5 2
  3 3 4        4 5 2        2 2 7
```

```
  7 8 5        9 4 4        8 9 7
- 2 4 0      - 3 4 1      - 4 3 2
  5 4 5        6 0 3        4 6 5
```

받아올림이 1번 있는 (세 자리 수)+(세 자리 수)를 학습하는 과정입니다.

받아올림이 1번 있는 덧셈의 경우에도 1일차와 마찬가지로 세로셈으로 계산할 때에는 자릿수를 맞추어 일의 자리에서부터 차근차근 계산을 해야 합니다. 다만 받아올림이 있는 덧셈의 경우에는 학생들이 받아올림한 숫자 1을 잊어버리고 계산하는 실수를 종종 합니다. 따라서 반드시 받아올림한 숫자 1을 작은 크기의 글씨로 기록하도록 지도해 주세요.

〈일의 자리에서 받아올림이 있는 덧셈〉 〈십의 자리에서 받아올림이 있는 덧셈〉

$$
\begin{array}{r}
\overset{1}{1}43 \\
+\ 2\ \overset{1}{1}\ 9 \\
\hline
3\ 6\ 2
\end{array}
\qquad
\begin{array}{r}
\overset{1}{2}95 \\
+\ 3\ 4\ 2 \\
\hline
6\ 3\ 7
\end{array}
$$

P 14 ~ 15

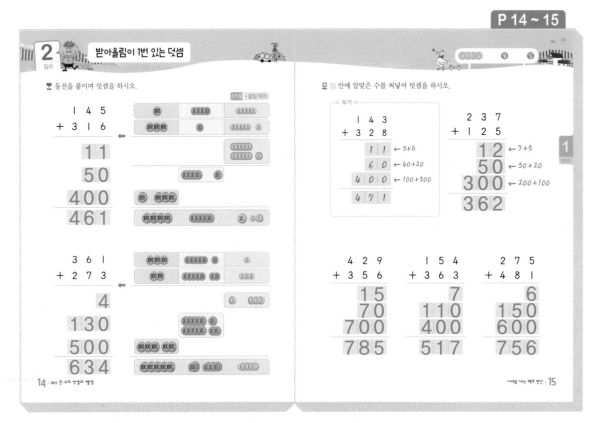

2 일차

일의 자리, 십의 자리, 백의 자리를 맞추어 덧셈을 하시오.

$$
\begin{array}{r} 1\;4\;3 \\ +\;2\;1\;9 \\ \hline \quad\;\;2 \end{array}
\;\rightarrow\;
\begin{array}{r} 1\;4\;3 \\ +\;2\;1\;9 \\ \hline \;6\;2 \end{array}
\;\rightarrow\;
\begin{array}{r} 1\;4\;3 \\ +\;2\;1\;9 \\ \hline 3\;6\;2 \end{array}
$$

$$
\begin{array}{r} 1\;4\;9 \\ +\;1\;2\;8 \\ \hline 2\;7\;7 \end{array}
\qquad
\begin{array}{r} 2\;5\;7 \\ +\;3\;1\;7 \\ \hline 5\;7\;4 \end{array}
\qquad
\begin{array}{r} 1\;6\;6 \\ +\;2\;2\;9 \\ \hline 3\;9\;5 \end{array}
$$

$$
\begin{array}{r} 4\;0\;7 \\ +\;1\;3\;5 \\ \hline 5\;4\;2 \end{array}
\qquad
\begin{array}{r} 3\;3\;8 \\ +\;5\;1\;6 \\ \hline 8\;5\;4 \end{array}
\qquad
\begin{array}{r} 5\;2\;2 \\ +\;4\;5\;8 \\ \hline 9\;8\;0 \end{array}
$$

$$
\begin{array}{r} 2\;1\;5 \\ +\;1\;3\;9 \\ \hline 3\;5\;4 \end{array}
\qquad
\begin{array}{r} 3\;0\;9 \\ +\;2\;7\;2 \\ \hline 5\;8\;1 \end{array}
\qquad
\begin{array}{r} 1\;5\;6 \\ +\;3\;1\;8 \\ \hline 4\;7\;4 \end{array}
$$

$$
\begin{array}{r} 4\;3\;6 \\ +\;3\;2\;6 \\ \hline 7\;6\;2 \end{array}
\qquad
\begin{array}{r} 5\;2\;8 \\ +\;1\;3\;9 \\ \hline 6\;6\;7 \end{array}
\qquad
\begin{array}{r} 2\;4\;7 \\ +\;2\;3\;5 \\ \hline 4\;8\;2 \end{array}
$$

$$
\begin{array}{r} 1\;1\;9 \\ +\;7\;4\;6 \\ \hline 8\;6\;5 \end{array}
\qquad
\begin{array}{r} 4\;5\;3 \\ +\;3\;2\;7 \\ \hline 7\;8\;0 \end{array}
\qquad
\begin{array}{r} 7\;1\;4 \\ +\;2\;6\;9 \\ \hline 9\;8\;3 \end{array}
$$

2 일차

일의 자리, 십의 자리, 백의 자리를 맞추어 덧셈을 하시오.

$$
\begin{array}{r} 2\;9\;5 \\ +\;3\;4\;2 \\ \hline \quad\;\;7 \end{array}
\;\rightarrow\;
\begin{array}{r} 2\;9\;5 \\ +\;3\;4\;2 \\ \hline \;3\;7 \end{array}
\;\rightarrow\;
\begin{array}{r} 2\;9\;5 \\ +\;3\;4\;2 \\ \hline 6\;3\;7 \end{array}
$$

$$
\begin{array}{r} 1\;5\;4 \\ +\;2\;7\;3 \\ \hline 4\;2\;7 \end{array}
\qquad
\begin{array}{r} 3\;4\;5 \\ +\;1\;6\;4 \\ \hline 5\;0\;9 \end{array}
\qquad
\begin{array}{r} 2\;6\;3 \\ +\;4\;8\;2 \\ \hline 7\;4\;5 \end{array}
$$

$$
\begin{array}{r} 2\;8\;7 \\ +\;3\;8\;2 \\ \hline 6\;6\;9 \end{array}
\qquad
\begin{array}{r} 1\;6\;6 \\ +\;4\;9\;2 \\ \hline 6\;5\;8 \end{array}
\qquad
\begin{array}{r} 4\;9\;1 \\ +\;3\;8\;4 \\ \hline 8\;7\;5 \end{array}
$$

$$
\begin{array}{r} 1\;6\;4 \\ +\;1\;5\;3 \\ \hline 3\;1\;7 \end{array}
\qquad
\begin{array}{r} 1\;8\;2 \\ +\;4\;6\;7 \\ \hline 6\;4\;9 \end{array}
\qquad
\begin{array}{r} 2\;5\;1 \\ +\;2\;8\;1 \\ \hline 5\;3\;2 \end{array}
$$

$$
\begin{array}{r} 3\;7\;6 \\ +\;2\;9\;3 \\ \hline 6\;6\;9 \end{array}
\qquad
\begin{array}{r} 2\;3\;3 \\ +\;2\;8\;3 \\ \hline 5\;1\;6 \end{array}
\qquad
\begin{array}{r} 2\;9\;4 \\ +\;5\;4\;3 \\ \hline 8\;3\;7 \end{array}
$$

$$
\begin{array}{r} 3\;4\;1 \\ +\;3\;8\;4 \\ \hline 7\;2\;5 \end{array}
\qquad
\begin{array}{r} 6\;9\;2 \\ +\;2\;9\;5 \\ \hline 9\;8\;7 \end{array}
\qquad
\begin{array}{r} 4\;6\;3 \\ +\;3\;5\;1 \\ \hline 8\;1\;4 \end{array}
$$

학습가이드

받아올림이 2번 있는 (세 자리 수)+(세 자리 수)를 학습하는 과정입니다.

받아올림이 2번 있는 덧셈을 마지막으로 자연수의 덧셈 학습을 마무리합니다.

네 자리 수 이상의 덧셈을 할 경우에도 세로셈으로 계산하는 것이 효율적인데 이때에도 3일차
에서 학습한 세로셈의 계산 방법을 확장하여 계산하면 됩니다.

〈받아올림이 2번 있는 덧셈〉

$$
\begin{array}{r}
\;\;1\;\; \\
1\;2\;7 \\
+\;3\;9\;4 \\
\hline
\;\;\;\;1
\end{array}
\;\Rightarrow\;
\begin{array}{r}
1\;1\; \\
1\;2\;7 \\
+\;3\;9\;4 \\
\hline
\;2\;1
\end{array}
\;\Rightarrow\;
\begin{array}{r}
1\;1\; \\
1\;2\;7 \\
+\;3\;9\;4 \\
\hline
5\;2\;1
\end{array}
$$

P 20 ~ 21

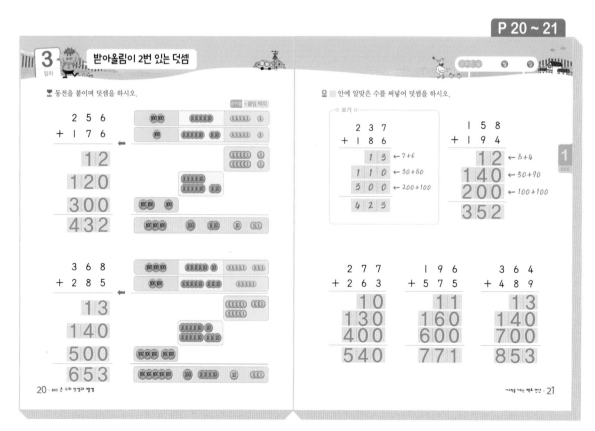

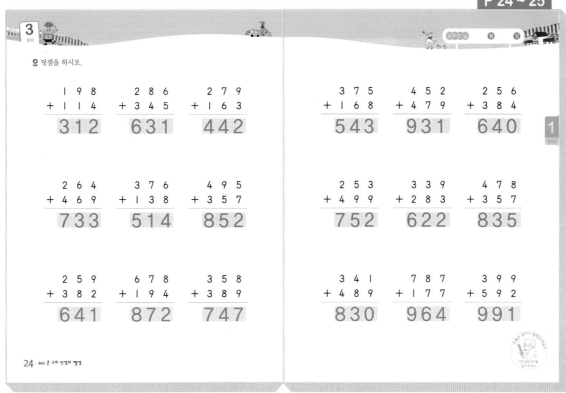

3 일차

○ 일의 자리, 십의 자리, 백의 자리를 맞추어 덧셈을 하시오.

$$127 + 394 = 521$$

263+258=521	187+274=461	459+195=654
183+139=322	217+194=411	345+299=644
376+246=622	265+478=743	384+529=913
156+585=741	398+257=655	436+474=910
198+367=565	377+459=836	696+298=994

P 24 ~ 25

3 일차

○ 덧셈을 하시오.

198+114=312	286+345=631	279+163=442
375+168=543	452+479=931	256+384=640
264+469=733	376+138=514	495+357=852
253+499=752	339+283=622	478+357=835
259+382=641	678+194=872	358+389=747
341+489=830	787+177=964	399+592=991

22 · B05 큰 수의 덧셈과 뺄셈
사고력을 키우는 팩토 연산 · 23
24 · B05 큰 수의 덧셈과 뺄셈

받아내림이 1번 있는 (세 자리 수)−(세 자리 수)를 학습하는 과정입니다.
받아내림이 1번 있는 뺄셈을 세로셈으로 계산하는 경우에도 받아올림이 있는 덧셈과 마찬가지로 자릿수를 맞추어 일의 자리에서부터 차근차근 계산을 해야 합니다. 다만 받아내림이 있는 뺄셈의 경우에는 학생들이 받아내림한 숫자가 1만큼 작아지는 것을 생각하지 않고 계산하는 실수를 종종 합니다. 따라서 반드시 받아내림한 후 바뀌는 숫자를 작은 크기의 글씨로 기록하도록 지도해 주세요.

〈십의 자리에서 받아내림이 있는 뺄셈〉

```
    4 10
  4 5̸ 3
−  3 1 9
─────────
  1 3 4
```

〈백의 자리에서 받아내림이 있는 뺄셈〉

```
    3 10
  4̸ 2 6
−  1 8 1
─────────
  2 4 5
```

P 26 ~ 27

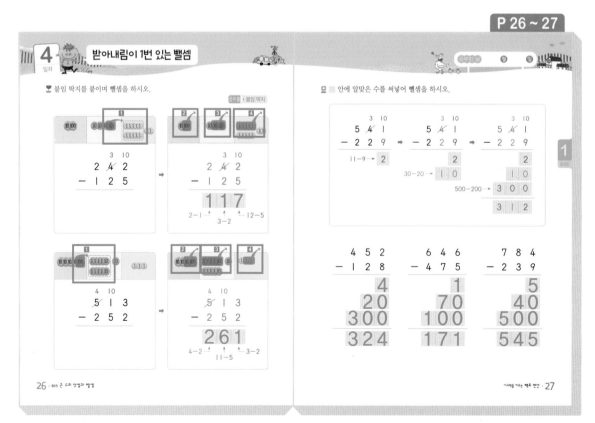

P 28 ~ 29

4 일차

오 일의 자리, 십의 자리, 백의 자리를 맞추어 뺄셈을 하시오.

```
  4 10         4 10         4 10
 4 5 3       4 5 3       4 5 3
- 3 1 9  →  - 3 1 9  →  - 3 1 9
       4       3 4     1 3 4
```

```
  3 10        6 10        2 10
 4 4 2      3 7 6      4 3 2
- 2 1 9    - 1 2 7    - 1 1 8
 2 2 3      2 4 9      3 1 4
```

```
  6 10        7 10        7 10
 5 7 4      7 8 1      9 8 3
- 4 3 6    - 3 6 5    - 2 4 8
 1 3 8      4 1 6      7 3 5
```

```
 3 2 3      2 5 2      5 2 5
- 1 0 9    - 1 2 7    - 3 1 6
 2 1 4      1 2 5      2 0 9
```

```
 4 7 5      6 7 1      7 6 2
- 1 3 8    - 2 5 5    - 5 2 9
 3 3 7      4 1 6      2 3 3
```

```
 7 8 4      8 4 3      9 8 4
- 2 3 8    - 4 3 5    - 3 2 7
 5 4 6      4 0 8      6 5 7
```

P 30 ~ 31

4 일차

오 일의 자리, 십의 자리, 백의 자리를 맞추어 뺄셈을 하시오.

```
              3 10         3 10
 4 2 6      4 2 6       4 2 6
- 1 8 1  →  - 1 8 1  →  - 1 8 1
       5       4 5     2 4 5
```

```
  3 10        2 10        4 10
 4 3 6      3 2 8      5 0 7
- 2 8 2    - 1 9 3    - 1 6 1
 1 5 4      1 3 5      3 4 6
```

```
  3 10        5 10        6 10
 4 4 9      6 1 5      7 5 8
- 2 7 7    - 3 4 2    - 2 9 4
 1 7 2      2 7 3      4 6 4
```

```
 4 7 3      4 0 8      4 6 3
- 1 8 2    - 2 6 3    - 1 9 1
 2 9 1      1 4 5      2 7 2
```

```
 6 2 9      5 3 7      6 5 9
- 2 3 0    - 3 8 4    - 1 9 4
 3 9 9      1 5 3      4 6 5
```

```
 7 4 7      9 1 6      8 3 8
- 5 6 3    - 4 7 6    - 2 4 7
 1 8 4      4 4 0      5 9 1
```

1주 5일차 받아내림이 2번 있는 뺄셈

받아내림이 2번 있는 (세 자리 수)−(세 자리 수)를 학습하는 과정입니다.
받아내림이 2번 있는 뺄셈을 마지막으로 자연수의 뺄셈 학습을 마무리합니다.
네 자리 수 이상에서의 뺄셈의 경우에도 세로셈으로 계산하는 것이 효율적인데 이때에도
5일차에서 학습한 세로셈의 계산 방법을 확장하여 계산하면 됩니다.

〈받아내림이 2번 있는 뺄셈〉

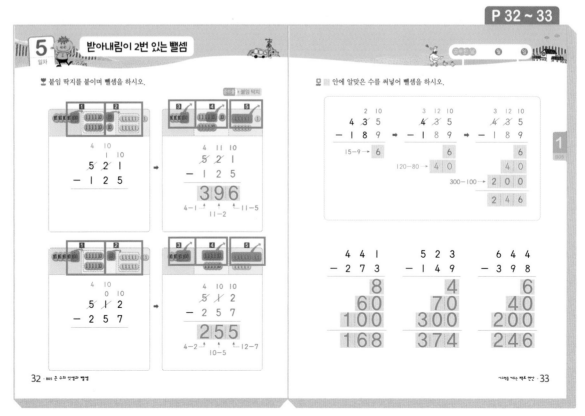

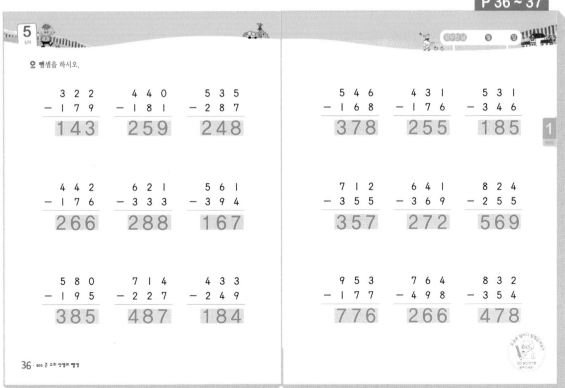

5일차

일의 자리, 십의 자리, 백의 자리를 맞추어 뺄셈을 하시오.

```
  4 10        2 14 10       2 14 10
3 5 2        3 5 2         3 5 2
-1 8 9   →   -1 8 9   →    -1 8 9
    3          6 3         1 6 3
```

```
 2 13 10      3 10 10       4 11 10
 3 4 1        4 1 3         5 2 2
-1 9 8       -2 5 9        -1 7 5
 1 4 3        1 5 4         3 4 7
```

```
 3 12 10      4 13 10       5 13 10
 4 3 4        5 4 0         6 4 3
-1 7 6       -3 5 9        -2 5 7
 2 5 8        1 8 1         3 8 6
```

```
 3 13 10      4 10 10       2 12 10
 4 4 3        5 1 6         3 3 4
-2 7 4       -1 4 8        -1 7 9
 1 6 9        3 6 8         1 5 5
```

```
 4 12 10      5 11 10       6 13 10
 5 3 1        6 2 3         7 4 3
-2 8 9       -3 7 6        -2 8 7
 2 4 2        2 4 7         4 5 6
```

```
 6 14 10      7 13 10       8 12 10
 7 5 7        8 4 1         9 3 4
-3 6 9       -3 7 8        -3 5 5
 3 8 8        4 6 3         5 7 9
```

P 36 ~ 37

5일차

뺄셈을 하시오.

```
 3 2 2        4 4 0         5 3 5
-1 7 9       -1 8 1        -2 8 7
 1 4 3        2 5 9         2 4 8
```

```
 4 4 2        6 2 1         5 6 1
-1 7 6       -3 3 3        -3 9 4
 2 6 6        2 8 8         1 6 7
```

```
 5 8 0        7 1 4         4 3 3
-1 9 5       -2 2 7        -2 4 9
 3 8 5        4 8 7         1 8 4
```

```
 5 4 6        4 3 1         5 3 1
-1 6 8       -1 7 6        -3 4 6
 3 7 8        2 5 5         1 8 5
```

```
 7 1 2        6 4 1         8 2 4
-3 5 5       -3 6 9        -2 5 5
 3 5 7        2 7 2         5 6 9
```

```
 9 5 3        7 6 4         8 3 2
-1 7 7       -4 9 8        -3 5 4
 7 7 6        2 6 6         4 7 8
```

P 38 ~ 39

큰 수의 덧셈과 뺄셈 **연산 실력 체크**

정답 수 / 39개
날짜 월 일

※ 2~4주 사고력 연산을 학습하기 전에 기본 연산 실력을 점검해 보세요.

1. 256 + 121 = 377
2. 514 + 275 = 789
3. 241 + 702 = 943
4. 316 + 128 = 444
5. 239 + 142 = 381
6. 525 + 336 = 861
7. 243 + 260 = 503
8. 172 + 587 = 759
9. 394 + 483 = 877
10. 174 + 379 = 553
11. 548 + 194 = 742
12. 289 + 696 = 985

13. 237 + 181 = 418
14. 398 + 349 = 747
15. 506 + 297 = 803
16. 716 + 164 = 880
17. 339 + 569 = 908
18. 238 + 386 = 624
19. 452 − 231 = 221
20. 368 − 104 = 264
21. 746 − 323 = 423
22. 543 − 129 = 414
23. 487 − 138 = 349
24. 623 − 217 = 406

38 · B05 큰 수의 덧셈과 뺄셈

사고력을 키우는 팩토 연산 · 39

P 40 ~ 41

큰 수의 덧셈과 뺄셈

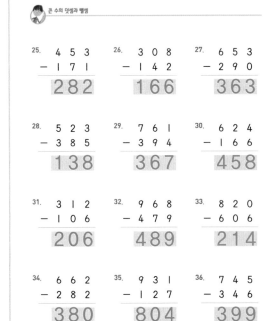

25. 453 − 171 = 282
26. 308 − 142 = 166
27. 653 − 290 = 363
28. 523 − 385 = 138
29. 761 − 394 = 367
30. 624 − 166 = 458
31. 312 − 106 = 206
32. 968 − 479 = 489
33. 820 − 606 = 214
34. 662 − 282 = 380
35. 931 − 127 = 804
36. 745 − 346 = 399

37. 922 − 428 = 494
38. 740 − 378 = 362
39. 806 − 509 = 297

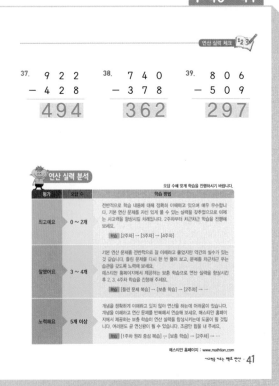

연산 실력 분석

오답 수에 맞게 학습을 진행하시기 바랍니다.

평가	오답 수	학습 방법
최고예요	0 ~ 2개	전반적으로 학습 내용에 대해 정확히 이해하고 있으며 매우 우수합니다. 기본 연산 문제를 자신 있게 풀 수 있는 실력을 갖추었으므로 이제는 사고력을 향상시킬 차례입니다. 2주차부터 차근차근 학습을 진행해 보세요. 학습 [2주차] → [3주차] → [4주차]
잘했어요	3 ~ 4개	기본 연산 문제를 전반적으로 잘 이해하고 풀었지만 약간의 실수가 있는 것 같습니다. 틀린 문제를 다시 한 번 풀어 보고, 문제를 차근차근 푸는 습관을 갖도록 노력해 보세요. 매스티안 홈페이지에서 제공하는 보충 학습으로 연산 실력을 향상시킨 후 2, 3, 4주차 학습을 진행해 주세요. 학습 [틀린 문제 복습] → [보충 학습] → [2주차]
노력해요	5개 이상	개념을 정확히 이해하고 있지 않아 연산을 하는데 어려움이 있습니다. 개념을 이해하고 연산 문제를 반복해서 연습해 보세요. 매스티안 홈페이지에서 제공하는 보충 학습으로 연산 실력을 향상시키는데 도움이 될 것입니다. 어라든도 곧 연산왕이 될 수 있습니다. 조금만 힘을 내 주세요. 학습 [1주차 원리 중심 복습] → [보충 학습] → [2주차] → ···

매스티안 홈페이지 www.mathtian.com

40 · B05 큰 수의 덧셈과 뺄셈

사고력을 키우는 팩토 연산 · 41

1 일차 측정 셈

■ 안에 알맞은 수를 써넣으시오.

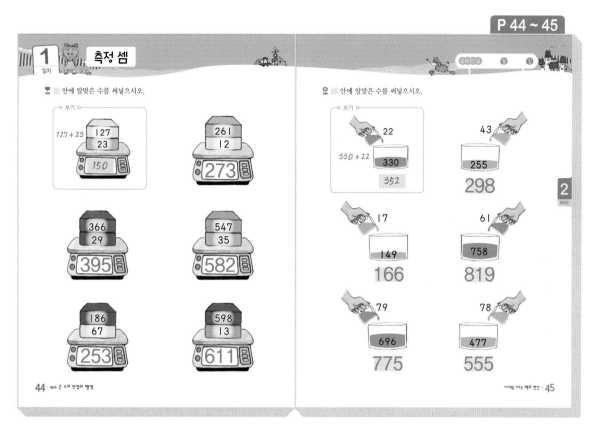

1 일차

■ 안에 알맞은 수를 써넣으시오.

◎ 계산 결과가 같은 칸을 찾아 해당하는 글자를 써넣고 수수께끼를 해결해 보시오.

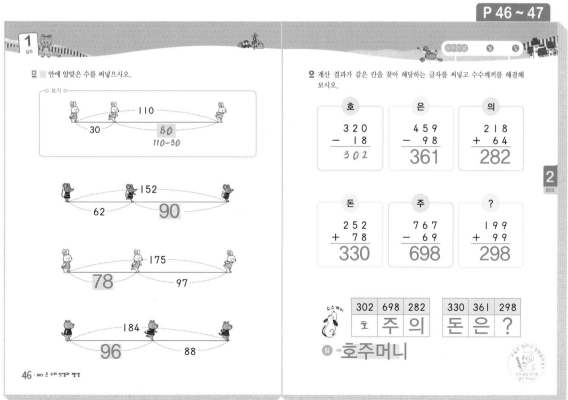

호	은	의
3 2 0 − 1 8 3 0 2	4 5 9 − 9 8 361	2 1 8 + 6 4 282

돈	주	?
2 5 2 + 7 8 330	7 6 7 − 6 9 698	1 9 9 + 9 9 298

302	698	282		330	361	298
ㅎ	주	의		돈	은	?

➡ 호주머니

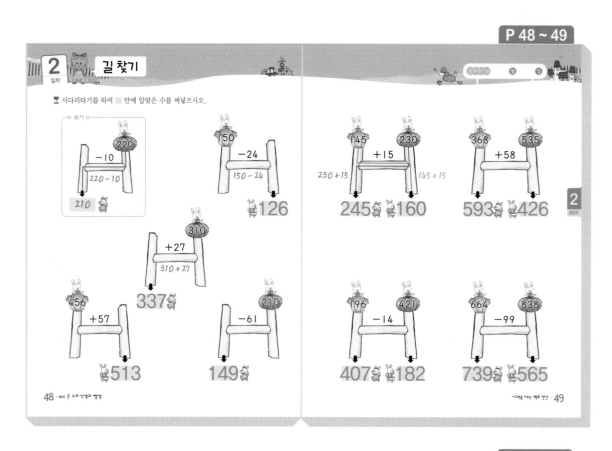

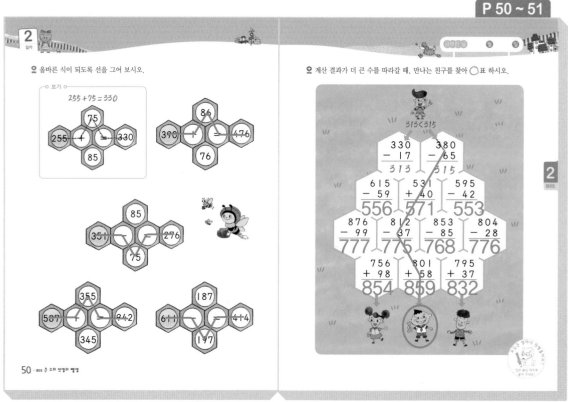

P 52 ~ 53

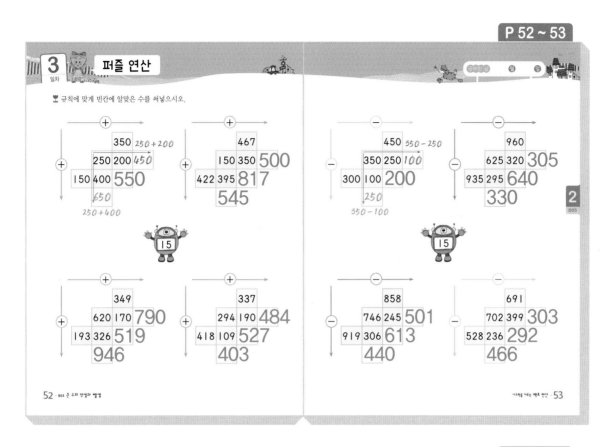

P 54 ~ 55

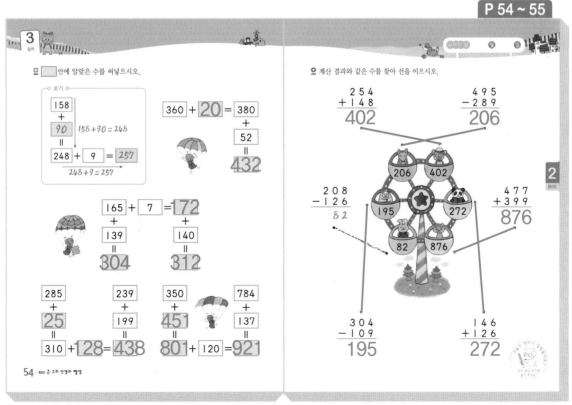

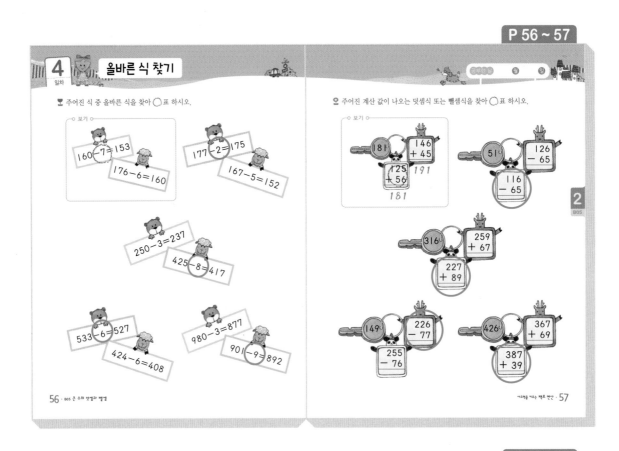

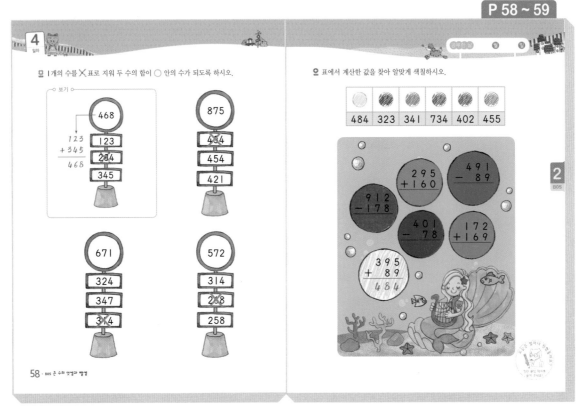

P 60 ~ 61

5일차 수 퍼즐

■ 식이 성립하도록 □ 안에 알맞은 수를 써넣으시오.

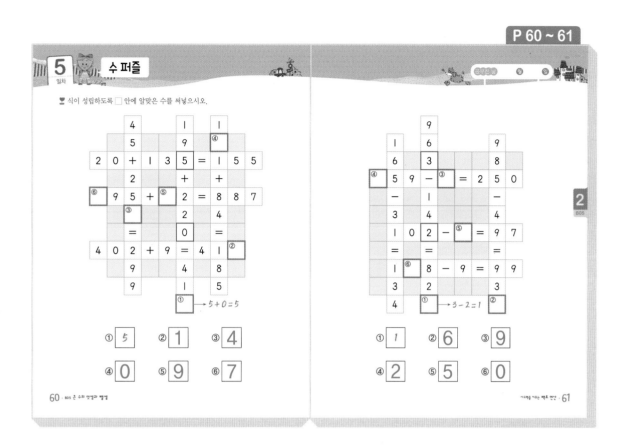

① 5   ② 1   ③ 4

④ 0   ⑤ 9   ⑥ 7

① 1   ② 6   ③ 9

④ 2   ⑤ 5   ⑥ 0

P 62 ~ 63

5일차

■ 식이 성립하도록 □ 안에 알맞은 수를 써넣으시오.

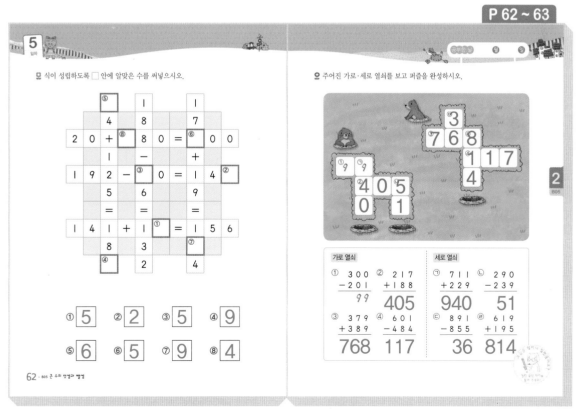

① 5   ② 2   ③ 5   ④ 9

⑤ 6   ⑥ 5   ⑦ 9   ⑧ 4

☺ 주어진 가로·세로 열쇠를 보고 퍼즐을 완성하시오.

가로 열쇠		세로 열쇠	
① 300 −201 99	② 217 +188 405	㉠ 711 +229 940	㉡ 290 −239 51
③ 379 +389 768	④ 601 −484 117	㉢ 891 −855 36	㉣ 619 +195 814

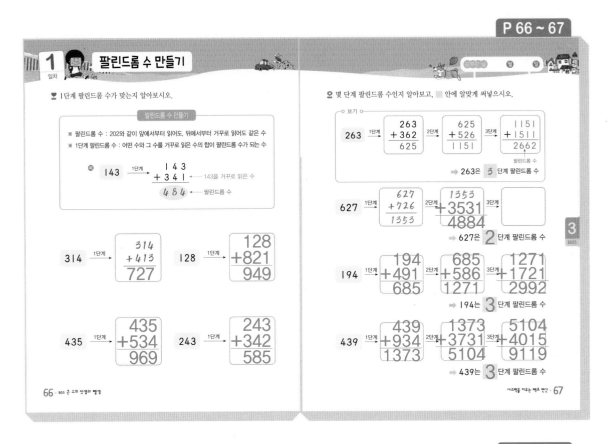

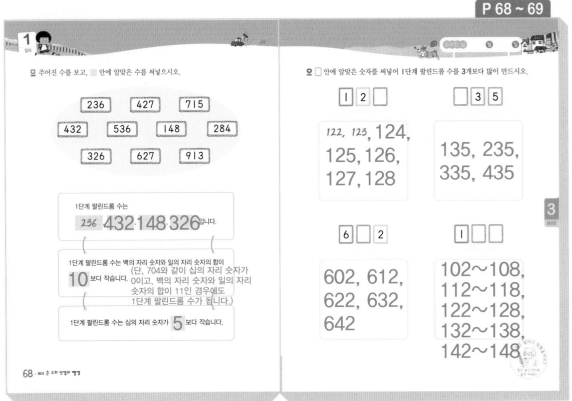

P 70 ~ 71

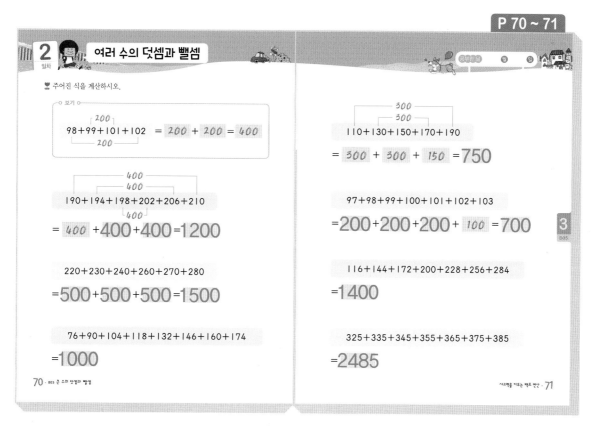

2일차 여러 수의 덧셈과 뺄셈

❤ 주어진 식을 계산하시오.

○ 보기 ○

$$98+99+101+102 = 200 + 200 = 400$$
(200, 200)

$$190+194+198+202+206+210$$
(400, 400, 400)
$$= 400 + 400 + 400 = 1200$$

$$220+230+240+260+270+280$$
$$= 500 + 500 + 500 = 1500$$

$$76+90+104+118+132+146+160+174$$
$$= 1000$$

$$110+130+150+170+190$$
(300, 300)
$$= 300 + 300 + 150 = 750$$

$$97+98+99+100+101+102+103$$
$$= 200+200+200+ 100 = 700$$

$$116+144+172+200+228+256+284$$
$$= 1400$$

$$325+335+345+355+365+375+385$$
$$= 2485$$

70 · B05 큰 수의 덧셈과 뺄셈

사고력을 키우는 팩토 연산 · 71

P 72 ~ 73

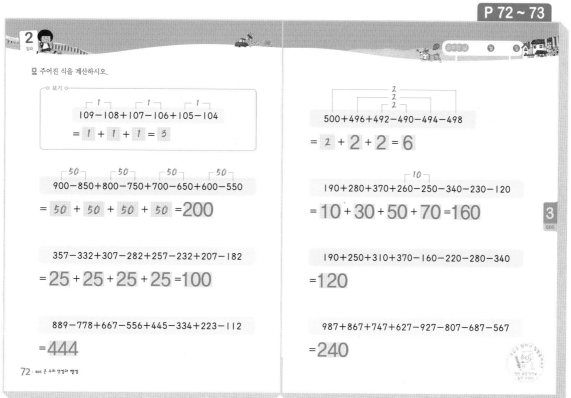

2일차

❤ 주어진 식을 계산하시오.

○ 보기 ○

$$109-108+107-106+105-104$$
$$= 1 + 1 + 1 = 3$$

$$900-850+800-750+700-650+600-550$$
(50, 50, 50, 50)
$$= 50 + 50 + 50 + 50 = 200$$

$$357-332+307-282+257-232+207-182$$
$$= 25 + 25 + 25 + 25 = 100$$

$$889-778+667-556+445-334+223-112$$
$$= 444$$

$$500+496+492-490-494-498$$
(2, 2, 2)
$$= 2 + 2 + 2 = 6$$

$$190+280+370+260-250-340-230-120$$
(10)
$$= 10 + 30 + 50 + 70 = 160$$

$$190+250+310+370-160-220-280-340$$
$$= 120$$

$$987+867+747+627-927-807-687-567$$
$$= 240$$

72 · B05 큰 수의 덧셈과 뺄셈

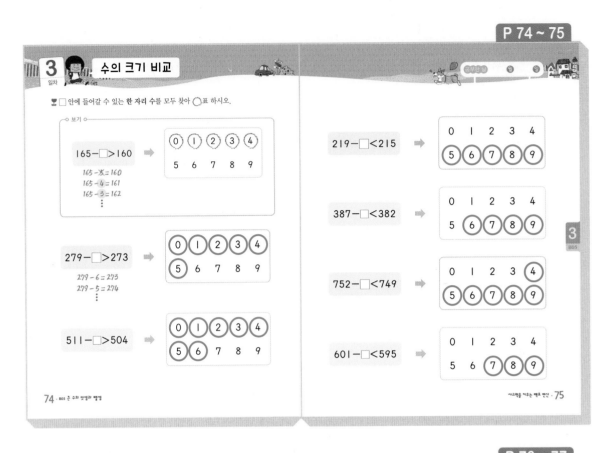

P 74 ~ 75

3 일차 수의 크기 비교

□안에 들어갈 수 있는 한 자리 수를 모두 찾아 ◯표 하시오.

보기

$165 - \square > 160$ ➡ ⓪ ① ② ③ ④ 5 6 7 8 9

$165 - 5 = 160$
$165 - 4 = 161$
$165 - 3 = 162$
⋮

$279 - \square > 273$ ➡ ⓪ ① ② ③ ④ ⑤ 6 7 8 9

$279 - 6 = 273$
$279 - 5 = 274$
⋮

$511 - \square > 504$ ➡ ⓪ ① ② ③ ④ ⑤ ⑥ 7 8 9

$219 - \square < 215$ ➡ 0 1 2 3 4 ⑤ ⑥ ⑦ ⑧ ⑨

$387 - \square < 382$ ➡ 0 1 2 3 4 ⑤ ⑥ ⑦ ⑧ ⑨

$752 - \square < 749$ ➡ 0 1 2 3 ④ ⑤ ⑥ ⑦ ⑧ ⑨

$601 - \square < 595$ ➡ 0 1 2 3 4 5 6 ⑦ ⑧ ⑨

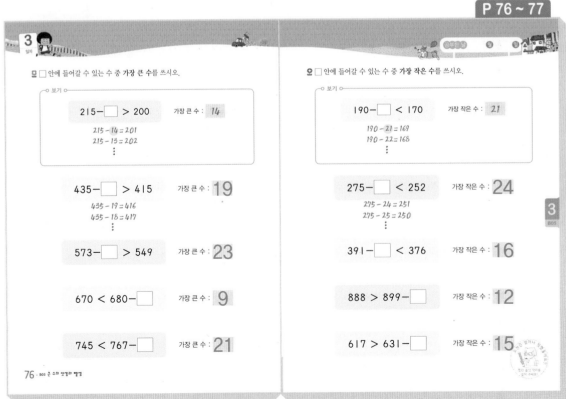

P 76 ~ 77

3 일차

□안에 들어갈 수 있는 수 중 가장 큰 수를 쓰시오.

보기

$215 - \square > 200$ 가장 큰 수 : 14

$215 - 14 = 201$
$215 - 13 = 202$
⋮

$435 - \square > 415$ 가장 큰 수 : 19

$435 - 19 = 416$
$435 - 18 = 417$
⋮

$573 - \square > 549$ 가장 큰 수 : 23

$670 < 680 - \square$ 가장 큰 수 : 9

$745 < 767 - \square$ 가장 큰 수 : 21

□안에 들어갈 수 있는 수 중 가장 작은 수를 쓰시오.

보기

$190 - \square < 170$ 가장 작은 수 : 21

$190 - 21 = 169$
$190 - 22 = 168$
⋮

$275 - \square < 252$ 가장 작은 수 : 24

$275 - 24 = 251$
$275 - 25 = 250$
⋮

$391 - \square < 376$ 가장 작은 수 : 16

$888 > 899 - \square$ 가장 작은 수 : 12

$617 > 631 - \square$ 가장 작은 수 : 15

P 78 ~ 79

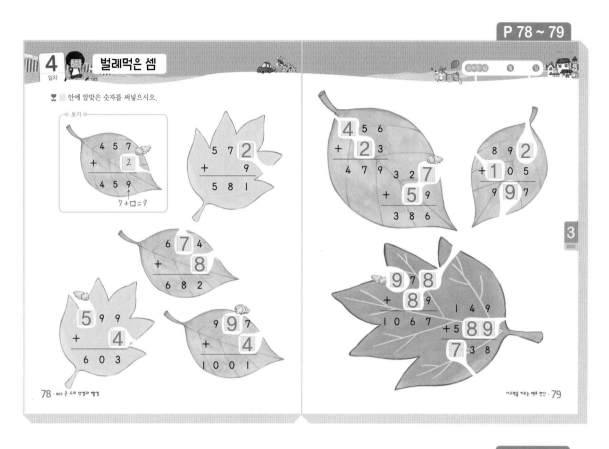

P 80 ~ 81

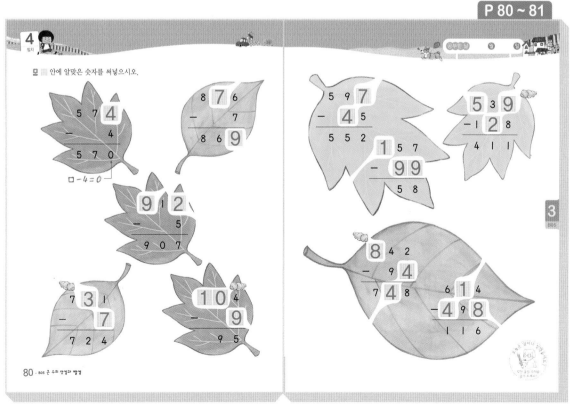

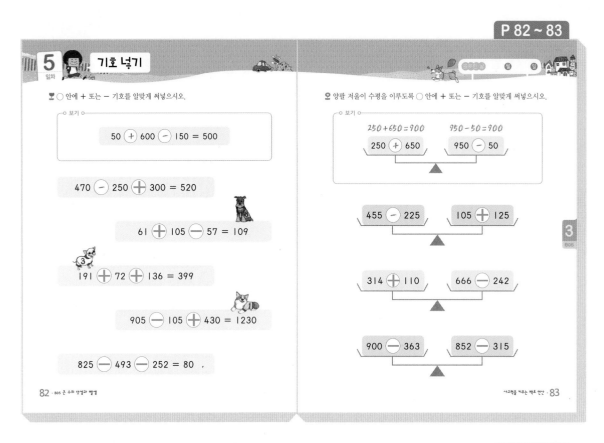

5 일차 기호 넣기

♣ ○ 안에 + 또는 − 기호를 알맞게 써넣으시오.

─ 보기 ─

50 + 600 − 150 = 500

470 − 250 + 300 = 520

61 + 105 − 57 = 109

191 + 72 + 136 = 399

905 − 105 + 430 = 1230

825 − 493 − 252 = 80 .

82 · B05 큰 수의 덧셈과 뺄셈

♣ 양팔 저울이 수평을 이루도록 ○ 안에 + 또는 − 기호를 알맞게 써넣으시오.

─ 보기 ─

250 + 650 = 900   950 − 50 = 900

250 + 650   950 − 50

455 − 225   105 + 125

314 + 110   666 − 242

900 − 363   852 − 315

사고력을 키우는 팩토 연산 · 83

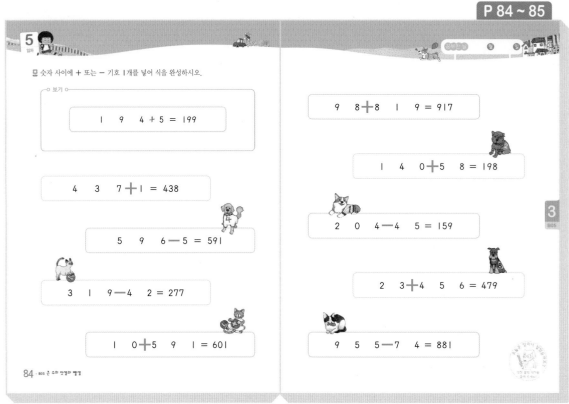

5 일차

♣ 숫자 사이에 + 또는 − 기호 1개를 넣어 식을 완성하시오.

─ 보기 ─

1 9   4 + 5 = 199

4 3   7 + 1 = 438

5 9   6 − 5 = 591

3 1   9 − 4   2 = 277

1 0 + 5   9   1 = 601

9   8 + 8   1   9 = 917

1   4   0 + 5   8 = 198

2   0   4 − 4   5 = 159

2   3 + 4   5   6 = 479

9   5   5 − 7   4 = 881

84 · B05 큰 수의 덧셈과 뺄셈

1 복면산

일차

안에 알맞은 수를 써넣으시오. (단, 같은 모양은 같은 숫자를 나타

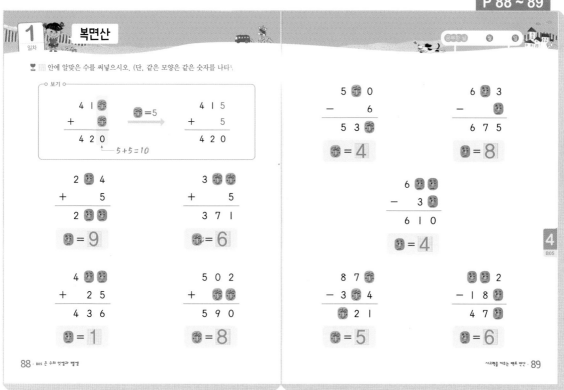

○ 보기 ○

```
  4 1 ☺        ☺=5      4 1 5
+     ☺☺               +     5
───────               ───────
  4 2 0                 4 2 0
      └ 5+5=10
```

```
  2 ☺ 4
+     5
───────
  2 ☺ ☺
```
☺ = 9

```
  3 ☺☺
+     5
───────
  3 7 1
```
☺ = 6

```
  4 ☺ ☺
+   2 5
───────
  4 3 6
```
☺ = 1

```
  5 0 2
+   ☺☺
───────
  5 9 0
```
☺ = 8

```
  5 ☺ 0
-     6
───────
  5 3 ☺
```
☺ = 4

```
  6 ☺ 3
-     ☺
───────
  6 7 5
```
☺ = 8

```
  6 ☺☺
-   3 ☺
───────
  6 1 0
```
☺ = 4

```
  8 7 ☺
- 3 ☺ 4
───────
  ☺ 2 1
```
☺ = 5

```
  ☺ ☺ 2
- 1 8 ☺
───────
  4 7 ☺
```
☺ = 6

---

1 일차

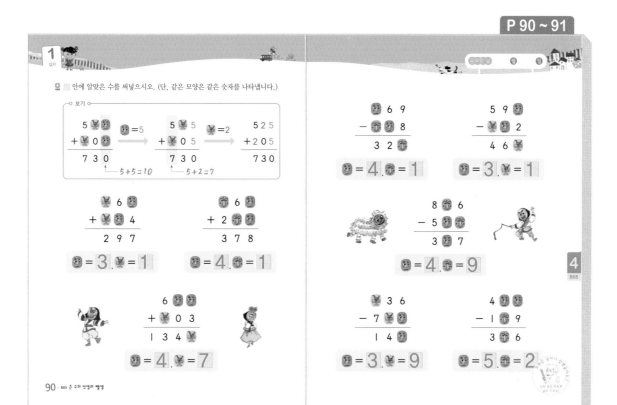

안에 알맞은 수를 써넣으시오. (단, 같은 모양은 같은 숫자를 나타냅니다.)

○ 보기 ○

```
  5 ♥ ☺     ☺=5      5 ♥ 5     ♥=2      5 2 5
+ ♥ 0 ☺             + ♥ 0 5             + 2 0 5
───────             ───────             ───────
  7 3 0               7 3 0               7 3 0
      └ 5+5=10            └ 5+2=7
```

```
  ♥ 6 ☺
+ ☺ ♥ 4
───────
  2 9 7
```
☺ = 3, ♥ = 1

```
  ☺ 6 ☺
+   2 ☺☺
───────
  3 7 8
```
☺ = 4, ☺ = 1

```
  6 ☺☺
+ ♥ 0 3
───────
  1 3 4 ♥
```
☺ = 4, ♥ = 7

```
  ☺ 6 9
- ☺ ♥ 8
───────
  3 2 ☺
```
☺ = 4, ☺ = 1

```
  5 9 ☺
- ♥ ☺ 2
───────
  4 6 ♥
```
☺ = 3, ♥ = 1

```
  8 ☺ 6
- 5 ☺ ☺
───────
  3 ☺ 7
```
☺ = 4, ☺ = 9

```
  ♥ 3 6
- 7 ♥ ☺
───────
  1 4 ☺
```
☺ = 3, ♥ = 9

```
  4 ☺☺
- 1 ☺ 9
───────
  3 ☺ 6
```
☺ = 5, ☺ = 2

P 92 ~ 93

2일차 가장 큰 값

숫자 카드를 한 번씩 사용하여 계산 결과가 **가장 큰 값**이 되도록 만들어 보시오. 온라인 활동지

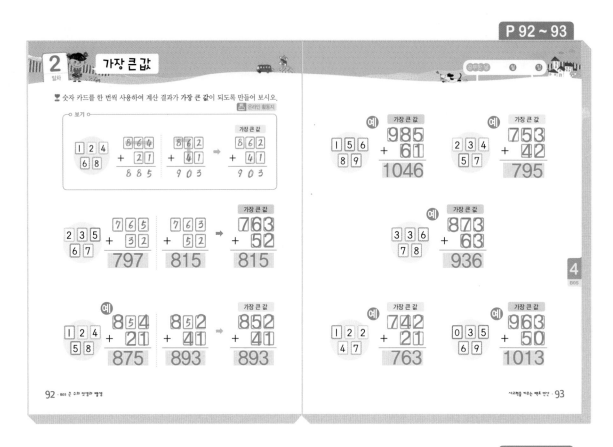

P 94 ~ 95

2일차

숫자 카드를 한 번씩 사용하여 계산 결과가 **가장 큰 값**이 되도록 만들어 보시오. 온라인 활동지

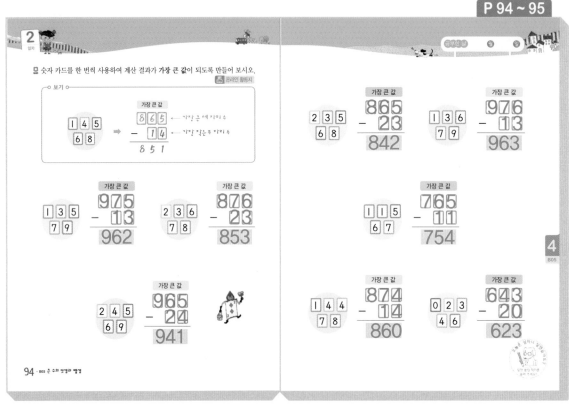

4주 3일차 가장 작은 값

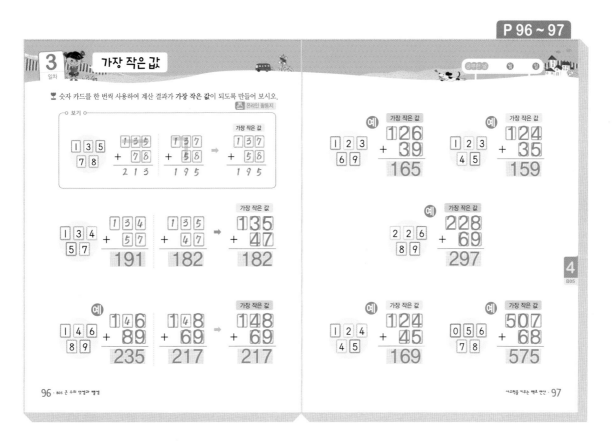

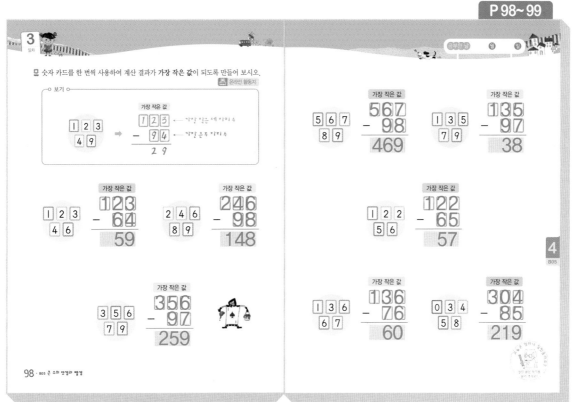

P 100 ~ 101

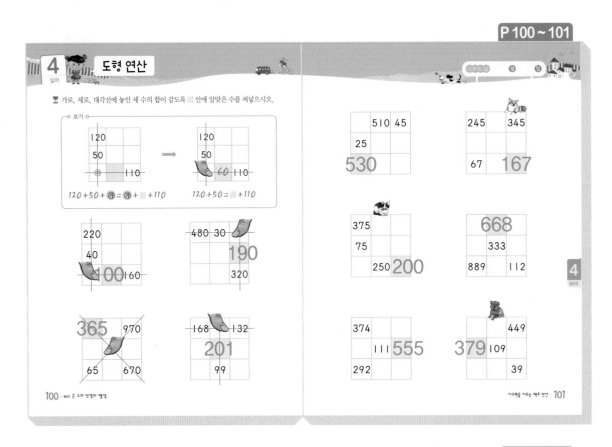

4 일차 도형 연산

가로, 세로, 대각선에 놓인 세 수의 합이 같도록 ▦ 안에 알맞은 수를 써넣으시오.

보기

$$120 + 50 + ㉮ = ㉮ + ▦ + 110$$

$$120 + 50 = ▦ + 110$$

P 102 ~ 103

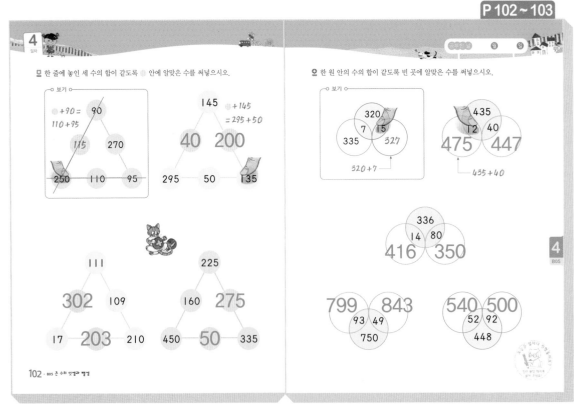

4 일차

한 줄에 놓인 세 수의 합이 같도록 ▦ 안에 알맞은 수를 써넣으시오.

보기

$$● + 90 = 90$$
$$110 + 95$$

$$■ + 145$$
$$= 295 + 50$$

한 원 안의 수의 합이 같도록 빈 곳에 알맞은 수를 써넣으시오.

보기

$$320 + 7$$

$$435 + 40$$

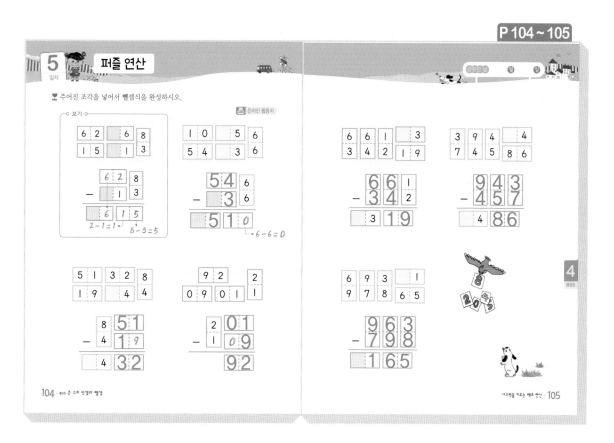

P 104 ~ 105

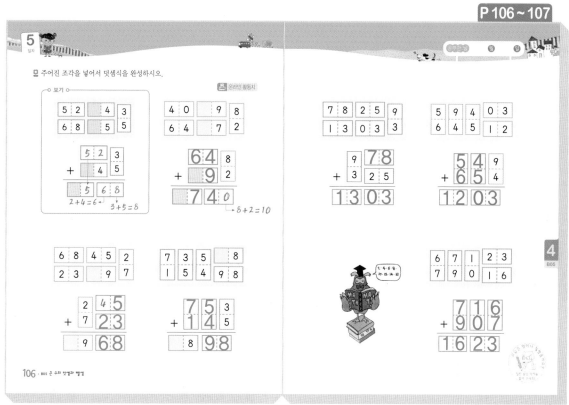

P 106 ~ 107

memo

상　장

이 름 : ＿＿＿＿＿＿＿

위 어린이는 **팩토 연산 B05권**을
창의적인 생각과 노력으로 성실히
잘 풀었으므로 이 상장을 드립니다.

20 년 월 일

매 스 티 안

본 책을 마친 아이들에게 위 상장을 수여하며 아낌없는 칭찬과 힘찬 박수를 보내 주세요.
아이들은 칭찬을 받으면 받을수록 수학에 대한 자신감이 더 생길 것입니다.